新版 お母さんがもっと元気になる

乳児健診

健診を楽しくすすめる エビデンス＆テクニック

昭和医科大学医学部小児科学講座 主任教授
水野克己
著

MC メディカ出版

序にかえて～乳児健診に関わるみなさんへ

　女性は子どもを産んだからといって、"母親"になるわけではありません。森に住んでいるオランウータンは集団での子育てを見て、自然に子育てを学習していきます。動物園に来たオランウータンはそうはいきません。子育てを放棄することすらあります。私たちは出産した女性が母親になるプロセスを一緒に歩み、進む道をわかりやすく示す教師でなければなりません。できれば出産前から小児科医には、これからどのようなことが待ち受けているのかをあらかじめ示す役割を担ってほしいものです。そこで信頼関係をつくっておくことは、出産後に大きなプラスになります。

　「わが子が元気に育っているのかわからない」「どのように子どもと向き合っていけばよいのかわからない」といった育児不安を訴える母親も少なくありません。「赤ちゃんを抱っこするのは初めてです」という母親が、雑誌やウェブサイトなどから入ってくるさまざまな情報に振り回されてしまうと"子育てはつらいこと"と感じてしまうかもしれません。不安を抱えながら子育てをしていては、子育てを楽しむことなどできるわけがありません。母親が抱く不安・心配はある程度共通しています。児の月齢に応じて母親の不安も変わってきますので、あらかじめこれからの数カ月に感じることが多い不安とその対策について説明しておくとよいでしょう。きっと母親は「これがあのとき、○○さんが言っていたことだ……。では、教えてもらったようにやってみよう」と、不安のトンネルに入り込むことなく、迂回できることでしょう。不安や心配はできるだけ早く解消することが大切です。笑顔で子育てができれば、子どもの成長・発達にも良いでしょうし、結果として母親が、もう一人子どもが欲しいと思うかもしれません。

　子育て中の母親の不安を解消できる立場にある医療関係者はたくさんいます。母親が出産した分娩施設のスタッフ、乳児健診を担当する小児科医、小児科で勤務している看護師さん、家庭を訪問する保健師さんや助産師さん、そして保健センターの方々です。みんなで母親の味方になって、子育てを支えていくことが"笑顔で楽しい子育て"につなげる力になります。この本を手に取ってくださった"みなさん"が母親の気持ちに共感して、悩みや不安を傾聴する。そして、解決策を提案することで、母親はわが子と前向きに向き合うことができるのです。もちろん、乳幼児をみていく上での基本は、乳児の成長と発達を評価し、介入すべきところがあれば適切に介入することにあります。ただ、それだけではなく、母親の生活環境や育児不安にも注意を払うことも大切です。上に子どもが2～3人いる場合と初めての子どもの場合とでは、おのずとできることは違ってきますし、母親の心構えも変わってきます。初めてのお子さんの場合は、これからどんなことが起こるのかわからない不安があり、上にお子さんがいる母親では、上の子どもとの向き合い方、上の子どもからの感染対策などが重要となります。おのずと提案する情報も変わってきますし、言葉

のかけ方も変わってくるでしょう。子どもを診察した結果、専門施設でのフォローが必要だと判断したときも、母親が理解し納得できるように伝えなければ、継続した支援を拒否されることもあります。例えば母乳育児が良いとわかっていても、まずは母親の気持ちを酌みとり、母親が受け入れられる"母乳育児のゴール"に向けて歩みたいものです。

　私は、乳児健診や訪問指導の役割の半分が児の成長・発達を含めた全身状態をチェックすることで、残りの半分は育児支援であると思っています。母親の置かれた育児環境・状況を理解し、その母親に適した言葉がけをして、最終的に母親をエンパワーすることが、乳児健診の役割の一つであるとも言えます。子育てにおける不安が軽くなり、母親が元気になって帰ってくれたときに初めて、「このお母さんとお子さんに関われてよかった！」と思えるでしょう。この喜びを知ってしまうと、乳児健診が苦痛でなくなり、そのうちに、子どもの笑顔から元気をもらい、母親がにこやかに診察室を出て行くことで癒やされるようになっていくのです。

　これまで多くの政治家が唱えてきた少子化対策では、私たち医療関係者の役割が不明確でした。私たちは母親と子どもの目の前にいる"第一線の不安解消チーム"です。女性が輝く社会と少子化対策を両立するために、いまこそ私たちが団結して子育て中の母親を支えていきたい……、そう思って5年前に初版（2010年刊行）の改訂に取り組みました。また改訂版では、各月齢ごとに健診のポイントを示すとともに、「よく泣く」「おっぱいが足りないの？」などといったよくある質問を例にして、母親とのコミュニケーション例をマンガにして示しました。このたびの新版では、予防接種スケジュールをはじめとして、新しい情報を母親にわかりやすく伝えていけるようにさらに改訂しています。小児科医だけでなく、乳児訪問をしている保健師さん、助産師さん、外来担当の看護師さんも、この本を読んで子育て中のお母さんを笑顔にしていただけると幸いです。

　"元気をもらう乳児健診"に一緒に取り組んでいきましょう！

2020年11月

昭和医科大学医学部小児科学講座主任教授　水野克己

CONTENTS

序にかえて〜乳児健診に関わるみなさんへ……3

第1部　おさえておきたい乳児健診の基本

1　乳児健診を始める前に　楽しい乳児健診を演出するのはあなたです　10
1. 「たかが健診」だなんて思っていませんか？……10
2. ちょっとした心がけで健診は楽しくなる……10
3. 自分の健診スタイルを決めよう……11
4. 健診で見落としてはいけないポイント……11
5. お母さんのがんばりを認める……12

2　乳児健診の組み立て　発育評価とエモーショナルサポートをバランスよく　13
1. 身体発育の評価……13
2. 疾患が見つかった場合の対応……20
3. 発達の評価……21

3　医療者に知ってほしい母乳育児のポイント　母親へのアドバイスの幅を広げよう！　22
はじめに……22
1. 母乳についての基礎知識……22
2. 母乳育児支援の実際……25
3. 適切な抱き方と乳房の含ませ方……28

4　乳児健診で行いたい母乳育児のサポート　それぞれのケースに寄り添って　36
はじめに……36
1. 支援したいポイント……37
2. 授乳中の食事とアレルギー……40
3. SIDS予防のためにも母乳育児を……44
4. ウイルスキャリアへの母乳育児支援……45

5　健診へとつなげるために大切な退院診察　母と子の状況をしっかり見極めよう！　51
はじめに……51
1. 退院時の児の状態と注意点……51
2. 母乳で育てる母親をフォローするためにおさえておきたいこと……57
3. 退院時に必ず伝えておきたいこと……57
4. 後期早産児の退院診察とその後の健診……60

第2部 キーエイジ別乳児健診マニュアル

2週間健診 　　70

1. 2週間健診の意義……70
2. 2週間健診の実際……70
3. 2週間健診で特に大切な母乳育児支援……72

2週間健診チェックリスト────79

1カ月健診 　　80

はじめに……80
1. 成長の評価……80
2. 神経学的な評価……83
3. しばしば見られる所見……85
4. しばしば見られる小さな形態異常……91
5. 予防接種のプランを立てよう！……93
6. 見落としてはいけないポイント……95
7. 母乳育ちの赤ちゃんの健診ポイント……97

1カ月健診チェックリスト────103
1カ月健診劇場①────104
1カ月健診劇場②────107

2カ月健診 　　109

1. 2カ月健診の重要性……109
2. 2カ月健診の実際……111
3. 母乳育ちの赤ちゃんの健診ポイント……111

2カ月健診チェックリスト────113

3〜4カ月健診 　　114

はじめに……114
1. 成長の評価……114
2. 神経学的な評価……114
3. 気を付けたい身体所見……115
4. 4カ月健診……117
5. 自閉スペクトラム症について覚えておきたいこと……118

- ⑥ 見落としてはいけないポイント……119
- ⑦ 母乳育ちの赤ちゃんの健診ポイント……122
  - 3〜4カ月健診チェックリスト────127
  - 3〜4カ月健診劇場────128

6〜7カ月健診　130

- はじめに……130
- ① 成長の評価……131
- ② 神経学的な評価……132
- ③ 確認しておきたいこと……133
- ④ 見落としてはいけないポイント……136
- ⑤ 母乳育ちの赤ちゃんの健診ポイント……136
- ⑥ 7〜8カ月健診（6〜7カ月健診が遅くなってしまった場合）……136
- ⑦ 補完食（離乳食）について知っておきたいこと……137
  - 6〜7カ月健診チェックリスト────144

9〜10カ月健診　145

- はじめに……145
- ① 成長の評価……145
- ② 神経学的な評価……145
- ③ 見落としてはいけないポイント……146
- ④ 母乳育ちの赤ちゃんの健診ポイント……147
- ⑤ 行動範囲が広がって心配される事故……150
  - 9〜10カ月健診チェックリスト────155

1歳健診　156

- はじめに……156
- ① 成長の評価……156
- ② 神経学的な評価……156
- ③ 気を付けたい身体所見……157
- ④ 確認しておきたいこと……159
- ⑤ 見落としてはいけないポイント……160
- ⑥ 母乳育ちの赤ちゃんの健診ポイント……160
- ⑦ 虫歯について覚えておきたいこと……160
  - 1歳健診チェックリスト────162

1歳6カ月健診　163

はじめに……163
1. 成長の評価……163
2. 神経学的な評価……164
3. 気を付けたい身体所見……167
4. 見落としてはいけないポイント（機能獲得に影響を及ぼすもの）……170
5. 母乳育ちの赤ちゃんの健診ポイント……170
6. トイレットトレーニングについて覚えておきたいこと……171
7. 早寝・早起き・朝ごはん……171

1歳6カ月健診チェックリスト────174

索　引……177
コラム一覧……184

第 **1** 部

おさえておきたい乳児健診の基本

1 乳児健診を始める前に
楽しい乳児健診を演出するのはあなたです

1 「たかが健診」だなんて思っていませんか？

健診にはいろいろな母親がやって来ます。初めての赤ちゃん、初めての健診で、祖父母や夫を伴っての"一大イベント"になっているケースもあれば、2人目や3人目の赤ちゃんで、他のお母さんとのおしゃべりに余念がないほどリラックスした母親もいます（新型コロナウイルス感染症の影響で今はなくなりましたが）。そうです。母親の子育てにおける不安は本当に人それぞれです。

親子の様子を観察しているとよくわかりますが、いつもにこにこしている母親の児は自然とにこにこ。母親が不安いっぱいでしかめ面だと、児もぴりぴり……。母親をにこにこ顔にするのも、しかめ面にするのも、小児科医の一言にかかっています。

「健診のとき、怒られてへこみました」とか「健診に行くと嫌な思いをするので気がすすみません」という母親の訴えは珍しいものではありません。健診に行って子育て不安を悪化させて帰ったのでは、何のために健診をしているのかわかりませんね。

女性が一生のうちに子育てを経験するのは1〜2回ということが多くなっています。妊娠中に思い描いていた子育てを実現し、満足できる子育てをしてもらいたい……。その経験を通して、もう一度子育てをしたいという女性も出てくるでしょう。この過程には、小児科医が関わることがたくさんあります。健診もその一つです。健診が少子化対策につながるかもしれませんね。

2 ちょっとした心がけで健診は楽しくなる

健診を行う小児科医が、「急に医局長から行ってこいと言われたから気乗りがしない」「健診は嫌だな」と思っていたり、いらいらしていたりすると、母親の不安解消なんてできません。健診に限らず、小さい赤ちゃんを抱っこして受診した母親に自分でドアを開かせないでください。「さぁ、これからかわいい赤ちゃんと"きれいな（？）"お母さんとの蜜月タイムだ〜」というくらいの勢いで臨んでください。私たちは"医療のプロ"です。プロとしての心構えは、患者さんの前ではいつも、心が乱れないように"整える"ことです。たとえ昨日、彼（彼女）とけんか別れしたとしても、それは病院に来ている患者さんには関係のないこと。心を整えましょう。

母親が部屋に入って来たら、まず明るくよく通る声で、「こんにちは！ 今日の健診担当の○○です。お子さんは△△ちゃん、□カ月ですね」と自己紹介して始めましょう。名前は相手から言ってもらうのが基本ですが、い

きなり「お名前は？」というのでは尋問のようになってしまい、母親も萎縮してしまうかもしれません。もちろん、自分のスタイルで構いませんが、健診は、

- 口の両端（口角）を上げた"笑顔で"
- "明るく"
- "よく通る声で"
- "ゆっくりと"
- "滑舌よく"

話すのが基本です。

この本には、母親の笑顔を引き出す"魔法の一言"を散りばめています。同じやるなら笑顔で楽しみましょう！

3 自分の健診スタイルを決めよう

そうは言っても楽しんでばかりはいられません。見落としなく児の全身状態をチェックするために、自分の健診スタイルを作ることも大切です。

保健センターでの健診のように対象が4カ月とか1歳6カ月とか決まっている場合は、同じ確認の繰り返しですが、1カ月から1歳6カ月まで、さまざまな月齢の赤ちゃんを対象とした健診では、表1-1に記載した各キーエイジのメルクマールをベースに自分の基本スタイルを作っておくとよいでしょう。例えば、まず心音、呼吸音を聴いて、そして腹部所見をとり、それから頭〜つま先まで全身チェックを行う、などの順番を決めておくのです。もちろん、赤ちゃんの機嫌によって多少変える必要はあります。

この本では、各月齢の項目の最後にチェックリストをつけておきました。

4 健診で見落としてはいけないポイント

「健診で絶対に見落としてはいけない所見」は各月齢ごとにありますが、大きく以下の4つのランクに分けられます。

A：命に関わるもの
B：機能獲得に影響を及ぼすもの
C：治りにくくなるもの
D：その他確認しておきたいこと

「A」は主に腫瘍性疾患や心疾患、「B」は視力や聴力、男児の停留精巣に関わるもの、「C」は皮膚の所見や小さな形態異常などです。

健診でなくても小児をみるときは必ず頸部

表1-1 各健診でのチェック事項（メルクマール）

月齢	必ずチェックする項目
1カ月	便の色・回数、光・音への反応、斜視、頭の形（向き癖）
3〜4カ月	頸の坐り・斜頸、追視、音の方を向く、あやし笑い、股関節
6〜7カ月	お座り、寝がえり、おもちゃをつかむ、離乳食の開始
9〜10カ月	後追い、つかまり立ち、お座り、喃語、バイバイに反応、手づかみ食べ
1歳	つたい歩き、小さい物をつまむ、言葉の理解、バイバイ、パチパチ、自分で食べる
1歳6カ月	ひとりで歩く、スプーンを使う、言葉を2つ以上、同年齢の児への興味
常に	体重・身長・頭囲、腹部や項部の腫瘤、心雑音、精巣・鼠径部

や腹部を触診して腫瘤の有無を確かめることや、外陰部の観察、心雑音の聴取を行うことが重要です。

"異常ではない""見た目だけの問題"で、母親が気にしていないことには触れないことも重要です。例えば、1歳健診で折れ耳を指摘したとします。それまで「この耳はこの子の個性の一つ」と気にしていなかったのに、「早く治療しないと後で大変」とか「この時点では手術しかないので、6歳くらいまで待って、局所麻酔で対応できるようになったら」と言われたら、母親は気になって仕方がないでしょう。

5 お母さんのがんばりを認める

健診を行う方にお願いしたいことがもう一つあります。それは、母親一人ひとりの子育てを、そして、母親のがんばりを認めてほしいということです。

100組の母と子がいれば、100通りの子育てがあってよいのです。皆が一様に同じである必要はありません。一所懸命な母親の子育てを認めた上で、必要であれば少し「提案」をしてみる。そんなスタンスをぜひ忘れないでください。

レジリエンスを育てる子育て

レジリエンスとは、ストレスや逆境に直面したときに適応する力を示します。このレジリエンスは、①愛着形成、②出生後早期に確立する腸内細菌叢と関連するとも言われています[1]。腸内に存在する細菌叢は"第2の脳"とも言われています。microbiota-gut-brain axisはレジリエンスを調節し、ストレスへの対応に関与するのです。

母親には「赤ちゃんをいっぱい抱きしめてあげるとよいですよ」と伝えたいですね。もちろん、母乳を与えることも腸内細菌叢にプラスとなります。

「やまぐち子育て四訓の会」の緒方甫氏の「子育て四訓」を紹介します。

乳児はしっかり肌を離すな
幼児は肌を離せ　手を離すな
少年は手を離せ　目を離すな
青年は目を離せ　心を離すな

2 乳児健診の組み立て
発育評価とエモーショナルサポートをバランスよく

身体発育の評価

a 体　重

● **体重の増え方は一番の心配事**

　健診では、まず体重、身長、頭囲、胸囲といった身体計測を行うことが一般的です。

　このとき体重の増えが少なめだとわかったら、母親はわが子にひもじい思いをさせていたのかと不安になることがあるかもしれません。また、周りの同じ月齢のお子さんより小さいと不安になるかもしれません。月齢の進んだお子さんの母親なら、食べ方が少なかったり、うんちの回数が少なかったりすると栄養失調ではないかと、心配になります。身体計測値の中でも、特に体重は身近な数値として目に見えるので、気にする母親は多いものです。

● **医療者も数値の評価を過剰に重視しがち**

　医療者にとっても同様で、体重は数値として成長を評価しやすいため、その評価を過剰に重視してしまう傾向があります。

　母乳だけで健康にゆっくり体重が増えている児に、「人工乳を足しましょう」と安易に指導したり、基礎疾患を持つ児に、「母乳だから大丈夫」「両親が小柄だから大丈夫」と安易に考えたりしてはなりません。

　医療者によって成長評価への知識・見解の差があったり、"大きいことはいいこと"と

今すぐ使える 会話例

シーン❶ 体重増加が少なめのとき

「赤ちゃんは元気だし、おしっこ、うんちもちゃんと出ていますね。おっぱいはどのようにあげていますか？」

「こまめに与えるとおっぱいがたまらないと母に言われたので、なるべく時間をあけてあげるようにしています」

「昼間は、1時間くらいすると泣いたりすることはありませんか？」

「おしゃぶりや抱っこで落ち着かせていました」

「おっぱいは粉ミルクと違ってすぐに消化されるので、赤ちゃんはすぐにお腹がすいてしまうのです。赤ちゃんが欲しそうにしていたら、泣く前におっぱいをあげてみましょう。それで体重の増え方がどうなるか、2週間後に見てみましょう。ちょっと大変かもしれませんが、2週間だけがんばってみてくださいね」

いう社会通念を当てはめて考えたりすることは避けたいものです。健康な児がどのような成長のしかたをするのか正しく理解し、母親

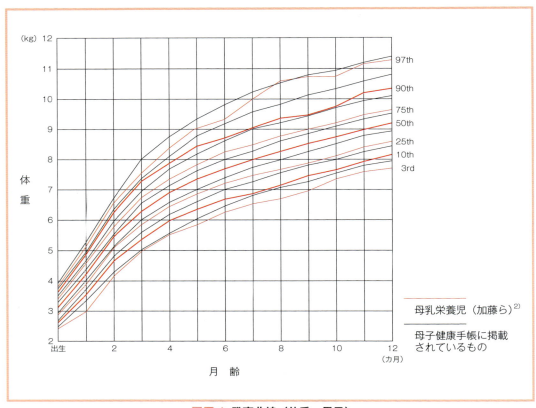

図2-1 発育曲線（体重・男子）

が自信を持って育児に向き合えるようにアドバイスできることが大切です。

● **体重の評価のしかた**

体重は、測定時の数値を単独で評価するのではなく、出生時からの増加として評価することが大切です。また、1カ月健診では出生体重からの増加を評価するのではなく、生理的減少による最低体重から考えるのが理にかなっています（p.80参照）。

大切なことは、児一人ひとりの背景を十分に考慮し、体重がゆっくり増える原因を慎重に判断しながら成長を丁寧にフォローしていくことです。経過を見たい場合も、「体重の増え方を見たいので、病院や保健所（保健センター）にまた来てください」というだけで

なく、p.13のコラムのように具体的に何かアドバイスを伝えます。

● **発育曲線にプロットしていく**

体重は、そのときの値だけで評価するのではなく、発育曲線にプロットして、これまでの増え方を評価してください。前回の値やこれまでの推移を見て「変だな」と思ったら、測定者任せにせず自分も一緒に測定することが大切です。

ただし、母子健康手帳の成長曲線は人工栄養の児や混合栄養の児も含めて作られているので、母乳育ちの赤ちゃんを当てはめるときには少し注意が必要なこともあります。母乳だけで育っている児の体重の増え方については、日本のデータでは加藤先生のデータ[2]が

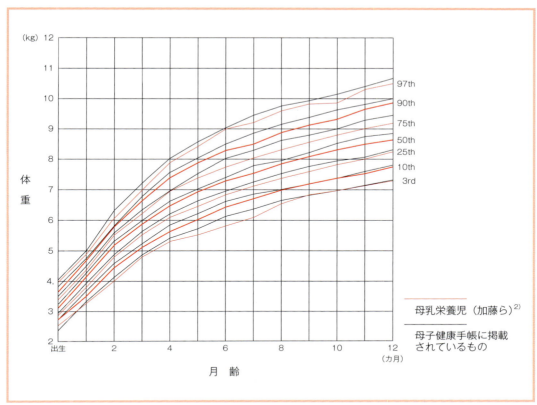

図2-2 発育曲線（体重・女子）

有名です。通常用いられる発育曲線と母乳だけで育っている児の発育曲線を1つのグラフの中に並べてみました（図2-1・図2-2)[2]。

母乳栄養児の発育については、WHO（2006年）のデータも紹介しましょう。1997～2003年にかけて、世界6カ国（ブラジル、ガーナ、インド、ノルウェー、オマーン、USA）の異なる人種・文化の8,440人の乳幼児を対象として作成された成長曲線です[3]（図2-3）。

対象は、少なくとも4カ月まで母乳栄養のみで、生後6カ月から補完食が開始され、少なくとも12カ月まで母乳育児が続けられた赤ちゃんです。この発育曲線からは、母乳栄養児の発育の特徴として、

表2-1 体重増加不良の指標

- 標準体重の3パーセンタイル（−2SD以下）未満が続く。
- 標準身体発育パーセンタイル曲線（3、10、25、50、75、90、97パーセンタイル）を、比較的短期間で2つ以上横切る。

- 生後2～3カ月までは人工栄養児よりも大きめである
- 生後3カ月以降になると体重増加率は低下する
- 1歳時点では人工栄養児より小さくなる（身長や頭囲では差がないことが多い）

などが読み取れます。

● **体重増加不良の目安**

このように、栄養方法によって体重増加に

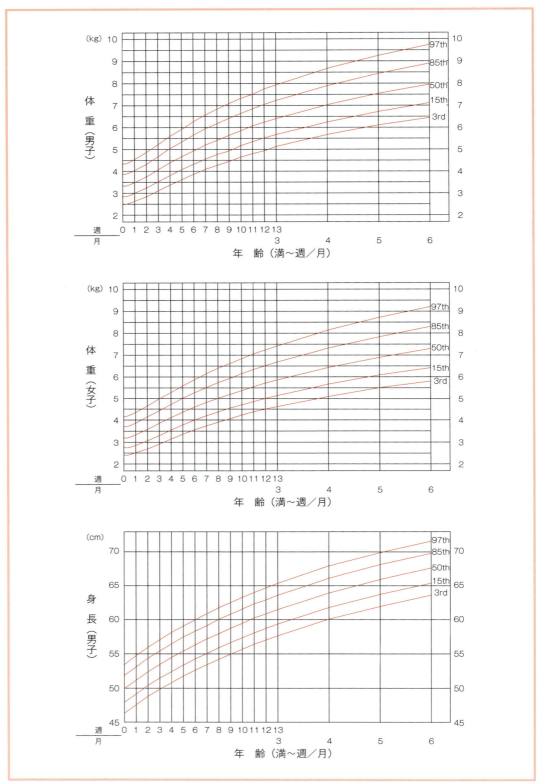

図 2-3 WHOの発育曲線（体重・身長・頭囲、男女別）

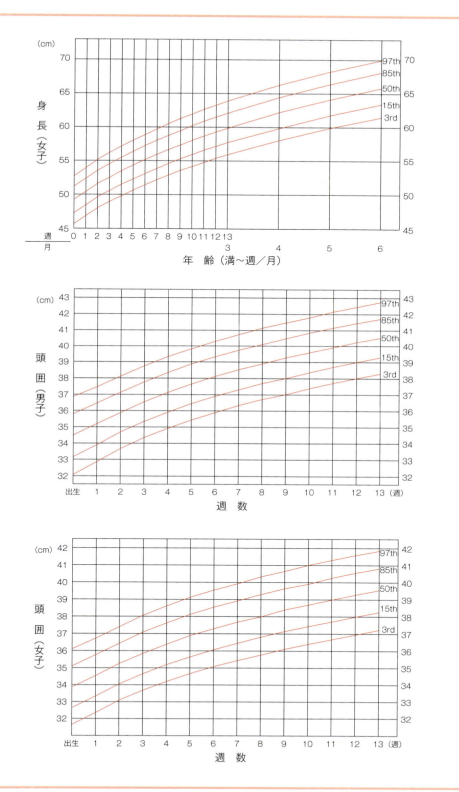

図 2-3 WHOの発育曲線（体重・身長・頭囲、男女別）つづき

は幅があり、評価はなかなか難しいものです。日本で使われている体重増加不良の指標をご紹介しましょう（表2-1）。

b 身長・頭囲・胸囲

● 正確に測定し、発育曲線にプロットを

身長と頭囲は体重とのバランスを考えます。低栄養の影響は体重→身長→頭囲の順で現れますので、身長の伸びが緩やかになってきたら、摂取する栄養量をどのように増やすか考えなければなりません。

ただし、乳児期の身長測定は誤差を生じやすいのも事実です。ちょっとした膝の屈曲でも数cmは変わってきます。きちんと膝を伸展するとともに、身体を真っすぐに測定する

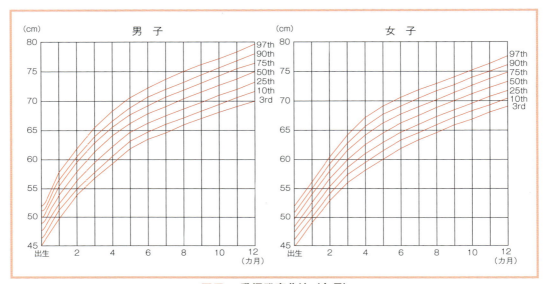

図2-4 乳児発育曲線（身長）

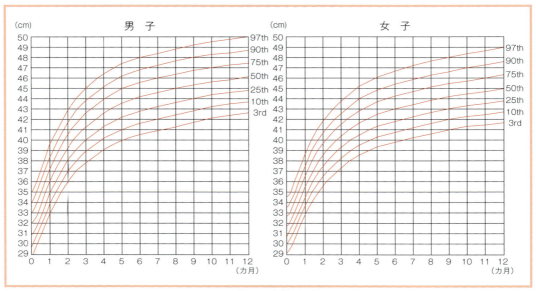

図2-5 乳児発育曲線（胸囲）

ことが大切です（測定のしかたはp.82〜83を参照）。繰り返しますが、発育曲線からずれているようなら自分も測定に参加してみましょう。

身長、頭囲、胸囲も、発育曲線にプロットしていきましょう。それぞれの値の発育曲線を以下に掲載します（図2-4〜図2-6）。

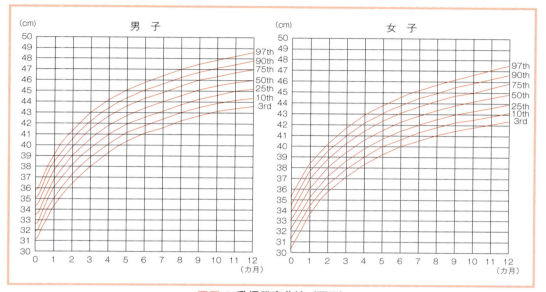

図2-6 乳児発育曲線（頭囲）

母乳で育つ赤ちゃんの体重増加はとても幅がある

　p.16〜17で紹介したWHOによる母乳栄養児の発育曲線では、母乳育ちの赤ちゃんは生後3カ月までは混合栄養や人工栄養のお子さんたちよりも大きくなります。ただし、「これだけ増えないと母乳が不足している」というわけではありません。むしろ、これによって3〜4カ月健診で母乳だけで育っているお子さんが97パーセンタイルを超えていても、不必要な介入をすることなくフォローできると言えるでしょう。生後ぐんぐん体重の増えた赤ちゃんも、やがて動きが活発になると体重の増え方は落ち着いてきます。母乳で育つ赤ちゃんの体重増加はとても幅があり、健診時の測定値だけで評価することは難しいのです。

　逆に体重の増加が少なめの赤ちゃんを1回の体重測定結果だけで栄養不良だと決めつけないようにしましょう。実際の授乳の様子を観察して、抱き方や含ませ方（p.29参照）を少しアドバイスするだけで体重増加が良くなることもあります。

● 頭囲の伸びには要注意

　頭囲の伸びが悪くなるようだと発達にも影響を及ぼす可能性があります。もちろん、そうなる前に介入することが大切ですが、初めてみたお子さんで低栄養によると思われる発達遅滞が認められる場合は、血液検査を含めた精査を行うことが必要です。

② 疾患が見つかった場合の対応

● 精査加療を軽い気持ちで伝えない

　乳児健診では、児の状態をくまなくチェックし、気になるところがあれば経過観察を提案したり、異常があれば専門病院での精査加療を勧めたりすることもあります。病気や異常があったとしても早く見つかれば、赤ちゃんは早く元気になってくれることも多いものです。ですから、医療者は軽い気持ちで「紹介状を書きますので、専門の病院でよくみてもらってください」と言ってしまうかもしれません。でも母親にとっては、"紹介状""専門の病院"という言葉が重くのしかかり、「この子に大変なことが起こっている」と強い不安を覚えるかもしれません。

● 母親の心配事をその場で尋ねる

　明らかな異常とはいえないまでも、健診しているときに気になることがあったら、一度、専門の医療者にみてもらうことはもちろん大切なことです。このようなときには、あらためて気になっていることはないか、母親に確認してみます。医療者が「これは大丈夫かな？」と思いながら念入りに診察していると、母親も「そこに何か問題があるのかな」と感じるものです。

　初めは何も言わなかった（そんなことを聞いてはいけないと思い、聞けなかったという場合も多い）母親も、もう一度聞かれると、まさに医療者が気になっているところを指摘することもあります。「そうですね、私も

OKワード NGワード

1カ月健診で心雑音を聴取したとき

OK「お子さんは体重もよく増えていて、とても元気がいいですね。手足も温かく血のめぐりもいいようです。心臓の音に雑音が聞こえますが、肝臓は大きくなったりしていませんし、脈も早くなっていません。特に心臓に負担がかかっているとは考えにくいですし、雑音が聞こえるだけで異常ではないかもしれません。心配いらないものかどうかは赤ちゃんの心臓の先生にみてもらうとはっきりしますので、一度、みていただきましょう」

NG「お子さんには心雑音がありますので、心電図やレントゲンがとれる施設で循環器の専門医に診察してもらってください」

●心雑音の性状から、左肺動脈の末梢性狭窄だと推測できる場合は、そのように伝えましょう。心臓の絵をわかりやすく描いて、説明することも大切です。一度で理解できない場合もありますから、紹介状を書き終わった頃に、「何かご質問はありませんか？」と聞いてみましょう。

ちょっと気になりますので、一度専門の先生にみてもらいましょうね」と伝えると、母親も自分が気になっていたことに気づいてくれたと感じ、前向きに高次医療機関での診察を受けることができます。

- **退室時にもひと声かける**

明らかな異常があって病院に紹介状を書くときは、その重要性をしっかりと伝える必要があります。このときもわかりやすい言葉で、目安は"中学生でもわかる"ように説明し、理解しにくいところは何回でも質問してもらうように伝えます。

また、診察室から出て行くときは必ず母親の顔を見て「気を付けてお帰りください」など声をかけます。なぜなら、母親が出て行くときに何となく腑に落ちない顔つきをしていると感じたら、もう一度大丈夫か確認したほうがよいからです。

3 発達の評価

- **メルクマールに注意するも個人差が大きい**

赤ちゃんは生まれてから日に日に成長し、昨日できなかったことが今日できることも珍しくありません。初めてのお誕生日過ぎまでに5回の乳児健診を受けることとなります（表2-2）。必要に応じて、1カ月健診までに2週間健診を行ったり、3カ月健診の前に2カ月健診を行ったりすることもあります。

それぞれの時期に発達のメルクマールとなる項目がありますので（p.11参照）、評価を行う際はそこに注意します。ただし、個人差が大きいのも確かです。

母親によっては「周りの子は1歳で歩いているのに、この子はまだ一人で立ちません」などと周りと比べて、とても心配される方もいます。母親が不安な気持ちで接していると、赤ちゃんも「お母さん大丈夫かな」と不安な気持ちになってしまいがちです。

- **母親の不安を軽減するのが乳児健診の役割**

赤ちゃんは自分で話をしません。母親から赤ちゃんの情報を得る必要があり、実際に児を家庭で育てているのは主に母親です。ですから、母親としっかりとしたコミュニケーションをとること、そして母親が子育てに関する不安・心配を軽減できるようにサポートするのも乳児健診の役割です。つまり、エモーショナルサポートを行うことが乳児健診の大切な役割なのです。

母親は、抱いていた不安が健診の場で解決したとき、晴れやかに診察室を出て行きます。「また、子どもと楽しく向き合っていけそうです」。その一言に私たちも力をもらえる、それが乳児健診の醍醐味なのです。

表2-2　1歳までの乳児健診

- （2週間健診）
- 1カ月健診
- （2カ月健診）
- 3～4カ月健診
- 6～7カ月健診
- 9～10カ月健診
- 1歳健診

3 医療者に知ってほしい母乳育児のポイント
母親へのアドバイスの幅を広げよう！

はじめに

　母乳で育てている母親は、母乳育児に関していろいろな不安を持つことがあります。お母さんたちは、乳児健診の機会に日ごろの母乳育児について気になることや疑問を相談したいというニーズを持っていますから、乳児健診を行うには母乳育児に関する基本的な知識が必要となります。学生時代に母乳の成分について講義を受けることはあっても、母乳育児自体について講義を受けることはほとんどないでしょう。しかし、臨床の現場では、抱き方や含ませ方といった母乳育児の基本を知っておくことが必要になってくるのです。

　ここでは、乳児健診を行う医療者として知っておいてほしい母乳育児のポイントをまとめてみました。

母乳についての基礎知識

a 母乳の準備と分泌

●妊娠中から母児ともに準備を始める

　ヒトの赤ちゃんがヒトの乳汁、つまり母乳で育てられるのは当然のことです。母親の身体は妊娠中から母乳で育てる準備をし始め、児も生まれたら母乳を吸えるように母親のお腹の中で準備をしています。妊娠すると、生まれてくる児を母乳で育てるために、女性の身体に変化が起こります。妊娠中に蓄えた脂

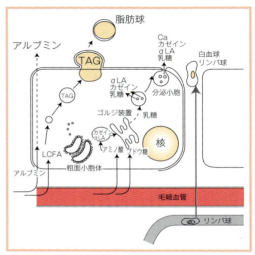

図3-1 母乳が作られる過程

肪は児の大事な栄養素となって、母乳に出ていきます（図3-1）。

　妊娠中期くらいから、夜間に2～3回目が覚めるようになるのも、昼夜かまわずお乳を欲しがるわが子に授乳をするためなのです。

●欲しがるたびに授乳することで分泌が確立していく

　産後すぐから、母親と児が一緒にいて頻繁に授乳していれば、母乳を作る準備は進んでいきます。その後も欲しがるたびに欲しがるだけ授乳することで母乳の分泌は確立し、維持されるのです。開発途上国では母親と子どもはいつも一緒にいて、1日15回以上授乳することも普通です。これが哺乳動物であるヒトとしての母と子の自然なかたちなのです。

b 母乳が赤ちゃんへもたらすメリット

●病原体から赤ちゃんを守る物質がたくさん含まれている

お産によって、病原体のいない子宮内から病原体がたくさんいる外の世界へ、酸素の少ない環境の子宮内から酸素が豊富な子宮外へと、児は飛び出していきます。母乳中には生きた細胞、免疫物質、抗感染物質など児を病原体から守る物質がたくさん含まれています。いろんな臓器のもとになる多能性幹細胞も入っています。母乳で育った児は予防接種後の抗体陽性率や母親からの移植腎の定着率が高いことも報告されており[4〜6]、母乳に含まれる受動免疫以外の効果もたくさんあります。つまり、母乳で育てることは児の身体の仕組みそのものを自然なかたち、すなわちヒトとしてあるべき姿に導いてくれるのです。

●将来の健康にもプラスの効果がある

それだけではありません。ヒトがヒトとして育っていくために必要なものは、母親の母乳の中にたくさん入っています。

生後早期に与えられた栄養は、その児の今後の身体そのものを変える力を持っています。長い目で見れば、将来のメタボリックシンドロームへのリスクを下げる鍵も母乳にあることが注目されています[7]。

母乳で育てることが良い効果につながっていくのは、身体だけではありません。母乳で育ったヒトは53歳になっても認知能力が人工乳で育てられたヒトよりも高いとも報告されています[8]。生まれてすぐから母乳で育てることは、"ヒト"として育てるために必要なことなのです。母親は児を母乳で育てるような仕組みになっているのです。

この項の最後（p.32〜）に、「身体発育と認知能力、そして母乳育児が与える影響」と「母乳がIQを良くする理由」についてのエビデンスをまとめました。母親への情報提供に役立ててください。

c 母乳と人工乳の違い

●母乳と人工乳の正しい知識を

最近、多くの母親たちが「赤ちゃんにとっては母乳も粉ミルクも同じ」と感じているの

プラスワン　母乳育児はbiological norm

スマホからいろいろな情報が手に入れられるようになり、悪影響を受けている母親も少なくありません。中でも母乳育児に関わるいろいろな論評は母親を悩ませます。私たちは、母乳育児が子どもの健康にベストであるという前に、哺乳動物であるヒトにおいて母乳育児はbiological normであることを心しておかなければなりません。正期産児においては"母親を追い詰める"という理由もあり母乳を過度に勧めないようにという風潮もあります。災害時に困らないようにと取り入れられた液体ミルクも、もはや普通に外来待合室で使っている光景を見るようになりました。健康な正期産児の母乳育児は難しい状況になっているように感じます。私たちは"健康な"正期産児に対して、どのように母乳育児を支援するかにも取り組まなければならないと強く感じています。

に驚いています。母親学級で「粉ミルクは何からできているか知っていますか?」と質問すると、しばらくしてお一人が「牛乳ですか?」と答えます。それを受けて他の母親が「へぇ～」と驚きの声を上げるというパターンが散見されます。

「母乳だけで体重もよく増えていますが、何かのときに困るかもしれないので、哺乳びんでも飲めるように1週間に1～2回は粉ミルクを与えています」という母親も決して珍しくありません。そこで、母乳は粉ミルクとは比べることのできないすばらしい栄養であることをぜひ小児科医には知ってほしいのです。

● 牛のタンパク質でアレルギーを起こすことも

粉ミルクは牛の乳汁を原材料にして、いろいろな物質を抜いたり足したりして作られています。粉ミルクには牛のタンパク質が含まれており、このタンパク質にアレルギーを起こす場合をミルクアレルギーといいます。

一方、母乳は100%母親が作ったものです。母乳の中には生きた細胞もあり、母親の身体から児へと伝わって、児の体内でいろいろな働きをしています。さらに、粉ミルクは成分、味、においなどに変化はなく、いつも同じですが、月日がたつにつれて母乳の成分は変わっていきます。また、母乳の味やにおいは母親が食べたものでも変わってくるのです。

d 初乳の大切さ

● たくさん含まれている白血球が感染症から赤ちゃんを守っている

お産の後、数日の間に出てくる母乳を初乳といいます。無菌状態の子宮内環境から病原体がたくさん存在する子宮の外に出てきた児を守るために大切な免疫や、病原体を食べてくれる白血球が初乳の中には多く入っています。オリゴ糖は、健康食品などでもおなじみですが、もともと母親の初乳にたくさん含まれていて、中耳炎、呼吸器感染、胃腸炎などいろいろな感染症から児を守る働きがあります[9]。ほとんどのオリゴ糖はお腹のなかで壊されることなく、腸管を通過していきます[10]。そして腸のさまざまな場所でばい菌が入ってこないように守っているのです。

● 酸素の多い世界に適応させるための抗酸化物質も豊富

また、初乳にはビタミンAやEに代表され

今すぐ使える 会話例

シーン❷ 母乳育児のモチベーション

「母乳育児にくじけてしまいそうなんです……」

「おっぱいで育てることは赤ちゃんだけでなく、お母さんにもいいことがたくさんありますよ。何か聞かれたことはありますか?」

（笑いながら）
「ダイエットにいいとか?」

「そうですね！ おっぱいをあげると1日500kcalも使いますからね。ランニングマシンで500kcal分走るのはかなり大変ですよ。それ以外にも、ストレスに強くなる、免疫力がアップする、生活習慣病予防になる、乳がん、卵巣がん、子宮がんなどにもかかりにくくなると言われていますよ」

「やっぱりおっぱいってすごいですね。もうちょっとがんばってみます」

る抗酸化物質も多く含まれています[11]。なぜ、抗酸化物質が初乳にたくさんあるのでしょうか？ その答えは、酸素の少ない子宮内生活から酸素のたくさんある大気中での生活に、一瞬にして適応しなければならない児には欠かせないものだからです。酸素は過剰になると、私たちの身体の中で悪さをします。老化現象も酸素（活性酸素ともいいます）が関与しています。抗酸化物質は身体に悪さをする酸素を排除する働きを持ちます。このように、児の必要なものを必要なときに与えることができるのが母親の母乳なのです。

e 七変化する母乳の成分・味
● 日ごとに必要な栄養分が増えてくる

産後2～3日たつと、児は母乳から基本的な感染防御因子をもらうことができます。児は次に栄養をつけて大きくなるため、母乳の成分が変わってきます。ちょうどこの頃、カロリーの源となる乳糖や脂肪が増えてきます。母親と児の関係は、驚くほどうまくできているのです。

粉ミルクには、"生まれて2～3日の赤ちゃんのためのミルク"なんてないですよね。もちろん、生きた細胞も含まれていません。粉ミルクはいつも一定の成分なのです。

● 1回の授乳中に味も変化。
　スムーズに栄養を取り込める

母乳はお産の後の日数で変わると書いてきましたが、なんと、1回の授乳においても飲み始めから飲み終わりにかけて、母乳は変化しているのです。

母乳はよく前菜からメインディッシュまでのフルコースに例えられます。あっさりした前菜から、最後はカロリーの高いメインディッシュになるということです。授乳の初めは"前乳"、授乳の後に出てくる母乳は"後乳"と言われ、脂肪の量に違いがあります。児が飲み始めるときの前乳は脂肪分が少なく、さらっとした母乳です。飲み終わりの後乳になると脂肪分が多く、どろりとしたカロリーの高い母乳になります（図3-2）。

母乳の脂肪には児の網膜や脳を構成するのに必要なDHAやEPAという物質も含まれていますので、後乳をしっかりと児にあげてほしいですね。

● 母親の食べたもので味も変化する

また、母乳のにおい・味は、母親が食べたものによって変化しますので、母乳で育っている児はいろいろなにおい・味を経験することができます[12]。

お母さんの心配事
初乳をあまり飲ませられなかった

初乳にたくさん免疫物質が入っていると聞くと、「あまり飲ませられなかったけれど大丈夫かな？」と心配になるかもしれません。でも大丈夫ですよ。母乳にはその後も免疫を含めて赤ちゃんを成長させてくれるものがたくさん含まれています。長くあげることで、赤ちゃんにもお母さんにもメリットが増えてきます。長く授乳を楽しんでください。

2 母乳育児支援の実際

a 空になるまで頻繁に飲ませる

飲ませるときには、母乳分泌の特性（表3-1）をよく踏まえるとよいでしょう。

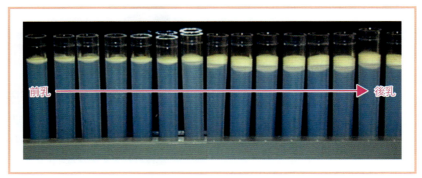

図3-2 飲み始めから飲み終わりまでの母乳の変化
30秒ごとに容器を変えて搾った母乳。軽い脂肪分（上の白い部分）は時間がたつと上がっていきます。左端は授乳前のおっぱいが張った状態で出てくる前乳、つまり飲み始めの母乳です。一方、右端はおっぱいが空っぽに近い状態で出てくる後乳、つまり児がお腹いっぱいに飲んだ最後の母乳です。左から右へ脂肪分が増えているのがわかります。後乳まで飲み取れるように！

表3-1 母乳分泌の特性

- なるべく早くから吸わせれば吸わせるほどよく出るようになる。
- 飲ませる回数が減ると出が悪くなる。
- おっぱいをためておくと、出なくなっていく。

● **母乳の出を増やし、維持するために**

乳房内に母乳がいっぱいになると、母乳を作らないように作用するタンパク質（feedback inhibitory of lactation；FIL）が増えてきます[13]。その逆に、頻繁に授乳（もしくは搾乳）して乳房の中の母乳を"空"に近づけるようにしていると母乳産生も増えてきます。そのため、授乳と授乳の間隔が長くなると母乳の産生量は減ってくるのです。ですから、頻繁に、しかも児が乳房を離すまでしっかり飲ませることが大切です。

● **栄養価の高い後乳まで飲み取るために**

前述のとおり、母乳の脂肪含量やカロリーは乳房内に残っている母乳量によって変わってきます。児が効果的に母乳を飲み取って、乳房内の母乳が空に近づくと、脂肪含量の多い（カロリーの高い）後乳に変わっていきます。これには児の脳や網膜を作るDHAなどの長鎖多価不飽和脂肪酸（LCPUFA）や脂溶性ビタミンも含まれています[14]。

b 空になるまで飲ませるコツ

①欲しそうにしていたら授乳します。ためてから授乳するよりも、たまった母乳を効果的に（効率よく）児は飲み取ることがわかっています。

②授乳の際、軽く乳房を圧迫して児が飲み取る量を増やします。特にしこりがあったり、張ったりしているところがあれば、優しく圧迫してみることを提案しましょう。

③満足するまで片方の乳房から飲ませましょう。それから反対乳房へ。両方均等に飲ませようとすると、脂肪分の薄い母乳だけを両側乳房から飲んでしまうかもしれません。脂肪分の多い後乳にたどり着くには、しっかりと飲み取ってもらうほうがよいでしょう。

④児が5分くらいで寝てしまうときは、くわえたまま口の中に軽く搾乳します。口の中に母乳が流れてくると吸啜し始めます。

母乳分泌過多のお母さんには別の注意が必要ですが、後乳まで飲み取れることをまず最

表3-2 児の空腹のサイン

- おっぱいを吸うように口を動かす。
- おっぱいを吸うときのような音を立てる。
- 手を口に持っていく。
- 素早く目を動かす。
- "クー"とか"ハー"というような柔らかい声を出す。
- むずかる。

[UNICEF/WHO. 母乳育児支援ガイドベーシックコース. BFHI2009翻訳編集委員会訳. 医学書院, 2009, p.65より作成]

表3-3 授乳のために児を起こす方法

- おくるみを外す。
- 産着を脱がせる。
- おむつを替える。
- 親との肌の触れ合い(背中・足・腕のマッサージなど)をする。
- ＊児が不愉快なことをして起こしてはいけません。

[金森あかね. "吸啜に問題がある場合の援助". 第16回母乳育児学習会資料集. NPO法人日本ラクテーション・コンサルタント協会編. 2002より]

優先しましょう。

c 空腹のサインに基づいて授乳する

授乳と授乳の間隔をあけないようにするためには、児の空腹のサイン(表3-2)[15]に基づいて授乳するとよいでしょう。そうはいっても、空腹のサインを出すのがうまくない児もいます。そのような場合、3時間以上はあけないように授乳する工夫が必要になります。

おむつを替えることで目を覚まさせる、母親の素肌の胸に抱っこするなどが有効です。母親の乳房のにおいは児の食欲を刺激する作用がありますので、素肌で抱っこしていると、口をもぐもぐさせてくることもあります。

d 授乳の終え方

● **片方を飲み終えてから反対側の乳房へ**

児が自分から乳房を離すまで授乳し、さらに欲しがるようであれば、反対側の乳房からも授乳します。最初に与えたほうの乳房を飲み終わってから次の乳房を含ませるようにし、両方の乳房を次々に与えて児が望む限り長く授乳します。5分したら反対の乳房を与えるといういわゆる"切り替え授乳"では後乳まで飲めない可能性があるので、行わないように伝えましょう。

● **片方だけで終えたら、次回は反対側から**

生まれて間もない頃の授乳では、児は1回

Don't worry mam!　お母さんの心配事

赤ちゃんが飲んでもおっぱいが張っています

どうしても赤ちゃんが途中で眠ってしまい、張りがとれない場合は、軽く後搾りをしましょう。搾った母乳は冷蔵庫で4〜5日間、冷凍すれば半年間保存できます。お母さんが疲れたとき、どうしても出かけなければならないときなどに、お父さんに飲ませてもらえます。

の授乳に片方の乳房だけで満足することもあります。その場合は次の授乳で反対側から含ませます。長時間眠ってしまい、起こして飲ませるときには表3-3[16]のようにします。

● **口の端から指を入れれば乳房から離せる**

母乳を飲み終わっても、長くおっぱいを吸っていたい児もいます。このような吸啜(non-nutritive sucking)を母親が終えたいなら、児の口の端からやさしく指を入れて乳房から離すこともできます。もちろん、時間的に余裕があるなら、児が満足して乳頭・

乳輪を離すまで吸わせていてもよいのです。

3 適切な抱き方と乳房の含ませ方

母乳が足りているかを評価する際には、母親が適切な抱き方・含ませ方を行っているかどうかを確認することが大切です。とはいえ、小児科医は学生時代にそのような講義は受けていません。ここからは抱き方・含ませ方について、簡単に説明します[17]）。

a 姿　勢

● 楽な姿勢で座る

まずは、母親に楽な姿勢で座ってもらいましょう。母親が楽に授乳できる姿勢ならどのようなものでも構いませんが、初心者の場合、リクライニング・シートを倒したくらいの角度で後ろにもたれるのがいいかもしれません。イメージとしては、赤ちゃんを腹ばいにして胸にのせるような感じです。前かがみになると、腰痛や肩こりを起こすことがあります。背中や腰にクッションを当てたり、足台を使ったりして、快適に授乳できるように工夫してみましょう。

哺乳に関係する原始反射は10以上あると言われています。原始反射が出やすい状況を整えてあげれば、児は自分から哺乳するのです（図3-3）。

b 抱き方（図3-4）

抱き方には横抱き、交差横抱き、立て抱き、脇抱きなどいろいろあります。

児と母親のお腹（脇抱きであれば、母親の

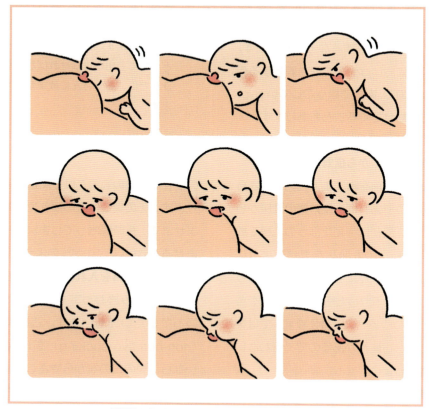

図3-3 baby led breastfeeding

横抱き

児を横に抱きながら、母親の方へ引き寄せ、乳房に吸着させるスタイル。

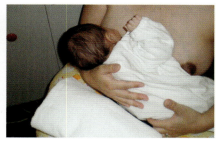
クッションやバスタオルを折ったものを使うと、児を楽に支えられます。

立て抱き

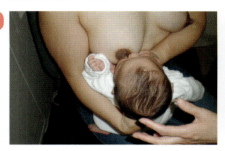
児を母親の膝に座らせたような姿勢で、頭と肩を支えて吸着させるスタイル。

必要に応じてクッションなどを使用し、母親と児の双方の身体を近づけるようにして、児の腰の部分を支えます。

脇抱き

授乳する方と反対側の手で乳房を支え、授乳する乳房側の手で児の頭と身体を支え、脇に抱え込むスタイル。児の足は母親の背中側に来ます。低出生体重児や吸着の難しい児、乳腺炎などでさまざまな角度からの授乳が必要な場合、乳頭混乱を起こした児などに有用です。

児の首が屈曲すると、吸啜・嚥下が困難となるので、下顎が乳房にめり込み、鼻と乳房との間にすきまができるよう、児の身体を調整します。下唇が入り込んでいるときは、このように頭を外に向けます。

交差横抱き

飲ませる乳房と反対側の手で児の頭と身体を、背中側から支えるスタイル。児の頭の動きをコントロールしやすいので、吸着の難しい児や低出生体重児への授乳に役立ちます。

図3-4 抱き方のいろいろ

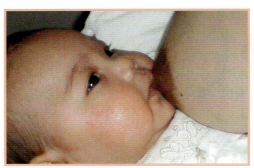

図3-5 浅い吸着の例

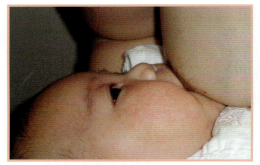

図3-6 適切に乳房を含んでいる例

Don't worry mam!
お母さんの心配事

乳腺炎になってしまった

　乳腺炎になると、熱は出るし、身体はだるい、おっぱいは痛いし、つらいですよね。早く元気になるには、痛みを和らげ熱を下げる薬を使いながら、頻繁に赤ちゃんにおっぱいを飲み取ってもらうことが大切です。赤ちゃんがうまく飲み取れないと、また乳腺炎になってしまうこともありますので、抱き方と含ませ方を助産師さんにみてもらうとよいでしょう。疲れたりストレスをためると乳腺炎になりやすいので、赤ちゃんが寝ているときはできるだけお母さんも休むようにしてください。

脇と児のお腹）がぴったりと向かい合うように児を抱いてもらいます。横抱きでは児の身体を母親の胸に乗せるように抱くと、手だけで児の体重を支えなくて済みます。ポイントは児と母親の身体が密着すること、そして、児の耳・肩・腰が一直線になることです。適切に児を支えられているときは、母親の腕（肘）の角度は90°以内になります。

C 乳頭と児の口の位置

　乳頭の先は児の上口蓋を向き、児の下顎が母親の乳房にくっつくような角度に抱くと、児は大きく口を開けて乳頭・乳輪に吸い付いてきます。このとき児の頸部が軽く伸展するようなポジションで抱いてもらいます。

　時々、乳頭・乳輪を児の口の中に押し込むようにする母親が見られますが、このようにすると浅い吸着（図3-5）になってしまいがちです。児が口を開けるタイミングに合わせて、そっと乳房の方に引き寄せてもらいます。

　母親が乳房を支えて飲ませるときは、母親の指が乳輪（乳首の周りの色の濃いところ）にかからないほうが児の口の邪魔になりません。

● 効果的な含ませ方

　乳頭は児の上顎を向き、児の下顎が乳房に埋もれるくらいに頸部を伸展します（図3-6）。このような状態だと児は自分から口を大きく開けて吸い付いてきます。もしくは口を大きく開けたときに項部に添えた母親の手で児を乳房に引き寄せます。

　児が乳頭・乳輪を十分に口の中に含んでいると、児の口は大きく開き（140〜160°）、

表3-4 不適切な含ませ方が起こすトラブル

- 乳頭の傷や痛み
- 十分に乳汁を飲み取れないための乳房の緊満
- 病的緊満による分泌の低下
- 十分に哺乳できないため児が不機嫌な状態、もしくは授乳拒否
- 分泌量低下から分泌量不足
- 飲み取る量が少ないため児の体重増加に影響を及ぼす。

表3-5 吸啜障害を起こす可能性のある因子

顔面、口腔、咽頭の異常	唇顎口蓋裂、巨舌症、小顎症、舌小帯短縮症、高口蓋
神経・筋異常	筋萎縮症、脳性麻痺、早産児、ダウン症候群、中枢神経感染症
その他	母体への麻酔・鎮痛薬投与、児を傾眠状態にする分娩前の薬剤投与、分娩外傷、早すぎる母子分離、母乳育児の頻度と時間を制限するような病院の方針、母乳代用品を早期に使用すること、授乳前に啼泣させること、室温が高いこと

[Walker, M. Core Curriculum for Lactation Consultant Practice. Jone and Bartlett Publishers, 2002より]

表3-6 標準的な授乳の状況（まとめ）

- 新生児は平均20～40分ずつ母乳を飲む（授乳への慣れや成長によって短くなっていく）。
- 生後6週までは標準的には1日に少なくとも8～12回飲むが、もっと多いこともある。授乳が集中する時間帯があり、それはとくに夕方から夜にかけて多く見られる。
- 生後6週以降には授乳時間は平均15～20分となる。児の胃の容量が大きくなり、たくさんの母乳を摂取できるようになるため授乳回数は減っていく。
- 「急成長期」が訪れることがある。生後2～3週頃、生後6週頃、生後3カ月頃に、突然、授乳回数が増加する。授乳回数の増加に伴い、母親の母乳産出量が増加し、授乳回数は数日で落ち着くことが多い。
- 授乳と授乳の間は満足している様子だが、十分に飲んでいても別の理由で機嫌が悪いこともある。

上下の口唇は外向きにめくれています。そうすると児の口の中はすきまがなくなり、乳頭が動くスペースはありません。乳頭の先端は吸引と圧迫によって硬口蓋と軟口蓋の境近くまで引き込まれます。この位置まで到達していると、授乳が終わったときに観察すると乳頭がつぶれていないのです。授乳中に母親が乳頭痛を感じないことは、正しい吸着状態の指標の一つでもあります。

- **不適切な含ませ方はトラブルを招く**

適切に乳頭・乳輪を含ませることができない場合、表3-4のようなトラブルが起こるかもしれません。逆に考えれば、体重が増えない、乳頭痛がある、乳房が張りすぎる、といった場合には含ませ方が適切かどうかを観察する必要があるのです。

- **医原性の吸啜障害を作らないようにする**

適切な援助をしても吸啜がうまくいかない場合には、表3-5[18)]のような異常も考え評価します。また、これらの因子の中には予防できるものも含まれ、援助者は医原性の吸啜障害を作らないようにしなければなりません。

母親への情報提供のためのエビデンス集①
身体発育と認知能力、そして母乳育児が与える影響

　母親のわが子を思う気持ちはとても強いものです。特に「将来の知能が良くなる方法があるのなら、できることはしたい」という母親は珍しくありません。乳児健診を担当する医療者が、認知能力の発達に関する情報を伝えることは母親たちにとっても有益でしょう。体重増加、頭囲発育、そして栄養方法が認知能力に影響するという報告も散見されます。ただし、あやふやな説明をして母親を不安に陥れるようなことがあってはいけません。情報提供はエビデンスに基づいて行うことが望ましく、ここでは役立つであろう文献をいくつか紹介します。

●体重増加と認知能力の発達に関する研究

①ボストンで行われた健康な正期産児を対象にしたBelfortらのバースコホート研究結果では、生後8週間ならびに生後6カ月間の体重増加によって10のグループに分けて3歳時の認知能力と関係があるか検査しています。その結果、最も体重増加が少なかったグループも、最も多かったグループと認知能力に差はなく、生後8週間ならびに生後6カ月間の体重増加が後の認知能力とは関係がないことが示されています[19]。あくまで健康に成長している児が対象で、栄養障害を引き起こすような疾患がない児では、体重増加を必要以上に注視するのは避けたほうがよいでしょう。また、この研究グループは、生後早期の急激な体重増加が生活習慣病のリスクとなることも言及しています。

②乳児期の体重増加が良好であった場合、10歳時の認知能力がどうなるかを3,418名の児をバースコホートにて検討した報告では、乳児期の体重増加が良いと絵画語彙発達は良かったのですが、他の項目については関係を認めませんでした。生後の体重増加が良いことは認知能力の向上にあまり大きな影響を与えないことがわかりました[20]。

③同様に健康な正期産児を前方視的に検討した別の報告では、生後9カ月の体重増加がゆっくりであった場合、SDスコアが1低下すると8歳時のIQが0.2ポイント低下することが示されましたが、有意といってもわずかな影響しかありませんでした[21]。生後8週間の体重増加との関連を見ると、SDスコアが1低下するとIQが0.8ポイント低下していました。この結果は①で紹介したBelfortらの検討結果と異なっています。Belfortらもこの論文を引用して考察していますが、この影響は偶然得られた結果と推察しています。
　そうはいっても、生後早期の体重増加を注意して見ていく必要はあるでしょう。母乳で育っている児の体重増加が少なめであれば、母乳分泌を増やす支援、適切に飲み取れるようなサポートを行ってください。そして、体重の増え方が少ないという理由のみで人工乳を補足するような指導は避けましょう。医療者には、児の健康状態を適切に評価するとともに、母乳哺育をサポートしてほしいのです。子育てを一生に一度しか経験しない女性も増えています。その数少ない経験を貴重な心が温まるような思い出にするには、周囲のサポートが必要なのです。

● 頭囲と認知能力の発達に関する研究
① 出生時、生後2、6、12、24カ月、そして8歳で身体計測を行い、認知能力についてはWISC（Wechsler Intelligence Scale for Children）を用いて評価した報告があります[22]。正期産の低出生体重児（平均在胎期間38.8週、出生体重2,350g）では、生後6カ月間の頭囲成長と8歳時の認知能力とに有意な関係がありました。予定日付近で出生したが子宮内での発育がおもわしくなかった児は、出生後の頭囲を注意して見る必要があるでしょう。
② Galeらは妊娠17週より前から追跡調査していた女性の子どもを妊娠中、出生時、生後9カ月、そして9歳時点でフォローした結果、9歳時の認知能力は出生時から生後9カ月までの頭囲発育との間に正の相関を示したが、妊娠18週時点や出生時の頭囲とは関係がなかったと報告しています[23]。9歳時点での認知能力は成人期まで一定であることから、このグループは生後9カ月間の頭囲発育がその後の認知能力と強い関連があると結論づけています。

● 母乳育児と認知能力の発達に関する研究
① Galeらの報告[23]では、交絡因子を除外後も、9歳時の認知能力は母乳育児期間と関連がありました。もちろん、母乳で育てている母親の行動や児との関わり方も将来の認知能力に影響するでしょう。ただし、母親の行動や児との関わりに関する微細な違いを解析に含めることは困難で、母乳栄養と認知能力の発達を調べるには無作為試験が必要となります。
② PROBIT（Promotion of Breastfeeding Intervention Trial）は、ベラルーシの31の産科施設を対象に、母乳育児を推進する施設と従来どおりの栄養方法を行っている施設で出生した児をそれぞれフォローアップした研究で、クラスターランダマイズトライアルという手法をとっています[24]。介入施設では母乳育児の専門家による母乳育児推進を行っています。この結果、母乳育児を推進している施設で出生した児のほうが6.5歳時点の認知能力を向上させるという結果が得られました[25]。
③ WHOから出されたシステマティックレビューでは、母乳で育てられた児は人工乳で育てられた児よりも認知能力が4.9ポイント（95%CI：2.97-6.92）高いと報告されています[26]。
④ コペンハーゲンで1959年から1961年に出生した9,125人の児を前方視的に検討したCopenhagen Perinatal Cohort Study[27]では、平均27.2歳の時点の認知能力をWISCを用いて評価しています。この結果、母乳育児期間と認知能力の間にはdose-response関係が認められました。母乳育児期間が長ければ長いほど認知能力がどんどん上がるのかというと、そうではないようです。生後7～9カ月間の母乳育児は9カ月以上の母乳育児と認知能力に差を認めず、9カ月間以上母乳育児を行ってもさらなる認知能力の向上は期待できないようです。

さて、話は変わりますが、どうしてヒトはこのような大きな脳を持つようになったのでしょうか？ ヒトの脳の進化は栄養と関係があるという報告があります[28]。ヒトの祖先が東アフリカや南アフリカの湖沿い、川沿い、海沿いの地域で魚、カメ、鳥の卵、カエルなど栄養素の高い食料を豊富に得ていたことが関係すると考えられています。チンパンジーとヒトは生まれたときの脳のサイズは変わりないのですが、身体の脂肪量には大きな違いがあります（チンパンジーの赤ちゃんは脂肪が少ない）。脳を進化させていく過程には身体に蓄えた脂肪が大切だったのです。

　胎児期後期に蓄えた脂肪は、出生後に脳を発達させるために必要なものだと考えられます。在胎35週で出生した児は250gの脂肪しか蓄えていませんが、正期産児は出生時に500gの脂肪を皮下に蓄えています。脳が多くのエネルギーを消費するためにこの蓄えをケトン体として使用していきます。そうはいっても、出生体重そのものがその後の認知能力を占うわけではありません。出生後の栄養が認知能力の向上に大きく関与していきます。前述したように、ヒトの祖先が妊娠中に水辺で栄養価の高い食餌を安定して獲得できるようになったことで余剰のエネルギーを備蓄でき、これによって胎児に脂肪を蓄えられるようになった――そして、脳の進化が起こったと考えられます。

母親への情報提供のためのエビデンス集②
母乳がIQを良くする理由

　母乳が児のIQを良くするという報告もあります。これもまた、情報提供はエビデンスに基づいて行うことが望ましく、母親への情報提供に役立つであろう文献をいくつか紹介します。

● **母乳育児と大脳白質容量**

　早産児を対象とした研究では、NICU入院中の母乳量と青年期の発達ならびに、MRIで脳容量、白質と灰白質容量を評価しています[29]。NICU入院中に母乳を与えられた量が多いほど、白質容量が大きく、また、言語性IQが高いことがわかりました。この関連は男児で強く認められています。

● **長鎖多価不飽和脂肪酸（LCPUFA）との関連**

　LCPUFA、特にDHAは大脳皮質の発達に不可欠な脂肪酸です[30]。母乳だけで育っている児を対象に母乳中のLCPUFAと脳重量を検討した結果、生後1カ月と3カ月時の頭囲の増加ならびに脳重量の増加は母乳中のアラキドン酸とDHAの比と正の相関を認めています[31]。最近の報告では、授乳中の母親にLCPUFAを与えると、児の生後の成長（頭囲、腹囲、BMI）にもプラスであったという報告もあります[32]。

DHAを多く含む食材は、イワシ、サンマ、サバなどで、いずれも身近なものです。最近は肉を魚よりも好む女性も増えていますので、アドバイスしてあげたいですね。

●レプチンと子どもの認知能力との関連

レプチンは脂肪組織で産生され、摂食や体温調節に関与しているだけでなく、細胞の分化増殖やステロイド産生[33, 34]ならびに海馬を発達させる作用もあります[35]。実際に母乳中には人工乳に比べてレプチン含量が有意に多く、このため母乳で育てられている児の血中レプチン濃度は高いことがわかっています[36]。レプチンの作用に関する詳細は省きますが、レプチンは海馬のシナプス形成を促進させ、記憶や学習能力を高めると考えられます。妊娠後期から授乳期に脂肪を多く摂取すると母乳中レプチン濃度は高くなり、児の血中レプチン濃度も高くなると推測されます[37]。

妊娠中から授乳中にかけて母親が摂取する栄養は、児のIQや成長にも影響します。このような情報は母親学級で伝えたいですね。

●スフィンゴミエリン（SM）との関連

SMは母乳中に豊富に含まれ、体内のDHA含量を上昇させたり、視神経の髄鞘化を促進させます[38]。低出生体重児用人工乳に含まれるSM濃度は母乳に比べて低いのですが、人工乳にSMを加えると児の認知能力が向上すると報告されています[39]。もっとも母乳には、それ以上のSMが含まれています。

●コレステロールとの関連

コレステロールはミエリン膜構成物で、脳成熟において大切なものです[40]。シナプス数は生後急速に増加するため、大量のコレステロールが必要であり、母乳中のコレステロールは白質の発達と認知能力に影響を及ぼしていると考えられます。

●IGF-1との関連

母乳育ちの児は小児期・成人期ともに人工乳で育った児よりも身長が高いことが報告されています[41~43]。IGF-1は身長の伸びと関連があることは言うまでもなく、母乳育ちの児は7～8歳時点の血液中IGF-1が高いことがわかっています[41, 44]。人工乳の量が多いほど65歳時の血液中IGF-1濃度は低いことがわかっています（Martin, unpublished data）。人工乳はタンパク質濃度が母乳に比べて高いため、肝臓でのIGF-1産生が刺激され、生後早期には人工乳で育っている児のほうがIGF-1濃度は高いのですが、やがてネガティブフィードバックによりIGF-1濃度が低下していくと推測されています[44]。

●HMOとの関連

産後1カ月の母乳中2'-fucosyllactoseと生後24カ月時点の児の認知機能に正の相関があると報告されています[45]。ヒトミルクオリゴ糖も母乳で育つ児の認知能力に関係しているようです。

4 乳児健診で行いたい母乳育児のサポート
それぞれのケースに寄り添って

はじめに

● **生後1カ月の完全母乳率は51.3％**

日本では妊娠中に母乳で育てたいと考えている女性がほとんどです。しかし、生後1カ月時までの完全母乳育児率は51.3％と半分程度なのが現状です（2015年）。現在、1人の女性が生涯に子どもを産む数は1.42（2018年）であり、多くの女性が生涯に子育てをする機会は1回か2回です。産後1〜2年間の子育てが母親の納得いくものであったかどうかは、その後、わが子とどのように向き合っていくか、ということにも影響を与えるでしょう。

● **米国研修医も人工乳のリスクを知るのは少数**

母乳で育てたいと希望する母親が赤ちゃんを母乳で育てるには、私たち医療者もサポートしなければならないのですが、かえって医療者が母乳で育てることを困難にしているケースも少なくありません。健診や訪問で行っている助言が本当に正しいことか、今一度考えていただきたいのです。

米国で研修医を対象に行ったアンケート調査によると、レジデントの74％が「人工乳は母乳と同等である」とは考えていませんが、「人工乳を与えることは疾病をもたらすリスクを上昇させる」と考えているのは24％しかいませんでした[46]。"母乳育児の利点"というと、「人工乳でも問題なく育つけれど、母乳で育てるといいことがあるらしい」と母親は考えがちです。同じ話をするのでも"母乳で育てないことのリスク"を伝えることにより、母親は"母乳で育てることの大切さ"を考えます[47]。

● **母乳育児の重要性を医療者も再認識を**

母親を取り巻く医療者の影響は大きく、研修医を含めてすべての医療者が、人工乳で児を育てることが母親と児に対して感染症から慢性疾患まで、幅広く疾病に罹患するリスクを高めてしまうということを認識する必要があります。母乳育児を希望する母親が安心して母乳で育てられるよう精神的にもサポートすることは、育児不安を軽減し、納得のできる子育てを通して子どもとの関わりにもプラスとなり、ひいては少子化対策にもつながる

今すぐ使える 会話例

 シーン❸ 母乳育ちは甘えん坊？

「母乳を長くあげていると、甘えん坊になりませんか？」

「第2次世界大戦までは日本人の卒乳は2〜3歳でした。でも日本の若者たちは決して甘えん坊ではありませんでしたよ。母乳を長く飲んでいた男の子は母親をとても大切にしていたものです」

と期待します。

1 支援したいポイント

a 体重増加

健診で、体重増加が標準的な増加パターンに達していない場合、異常や病気ではなくて単にゆっくりと体重が増える健康な児なのか、本来ならもっと体重が増えるはずなのに病気や何らかの異常のために体重が増えていないのかどうかを診察しながら見極めることが大切になります。

ゆっくりと体重が増える児は体重の増え方が少なくても、将来の認知能力が低下することはありません[19]。授乳回数、授乳の間隔、授乳のタイミング、授乳時の乳頭や乳房の痛みの有無など、授乳の様子を評価せずに「体重の増え方が少ないから人工乳を足しましょう」とは決して言わないでください。

b 混合栄養の場合のフォロー

出産した施設での対応やその後の支援が十分でなかった場合、またその他さまざまな事情によって、比較的早い時期から母乳と人工乳を併用する混合栄養となってしまったケースの中にも、「母乳だけで育てたい」と願っている母親は少なくありません。

産科施設退院後の体重増加が良好で、母乳育児を希望している母親に対する支援も、小児科医の重要な役目です。人工乳をどのよう

表4-1 人工乳の減らし方

1. 24時間の補足全量から50mLずつ減らす。
   この量を数回の授乳に分けて減らす。例えば10mLずつ5回に分けて減らす。または25mLを2回に分けて減らすなど。この減らした補足量で2〜3日間続ける。
2. 児がこの量で満足しているようで、1週間で125g以上の体重増加が見られるようなら、再び同じ量を減らしていく。
3. 児が空腹の徴候を見せ、体重の増加が見られないようならば、補足量は減らさないで、もう1週間様子を見る。児が引き続き空腹の徴候を見せるか、またはもう1週間体重増加が見られないときは、補足量を再び減らす前の量に戻す。

［武市洋美．"人工・混合栄養からの母乳復帰"．母乳育児支援スタンダード．日本ラクテーション・コンサルタント協会編．医学書院，2007，p.299およびWHO．Relactation．1998，29-31より］

OKワード NGワード

生後2カ月の児が1日に10回、母乳を飲んでいるとき

OK「体重が順調に増えていますね。この時期の赤ちゃんはまだまだのべつまくなしに飲んでいるのが普通です。母乳だけで大丈夫ですよ」

NG「この時期になって、1日に10回も欲しがるのは母乳が足りていないからです。粉ミルクを足しなさい」

- この言葉に、母親はショックを受け、乳房の張りがなくなったと落ち込んでいました。母親を元気づけるはずの医療者が足を引っぱってしまう、よくある例です。

に減らしていくか（表4-1)[48]ということ、そして、どうすれば母乳産生量が増えるか（表4-2)[49]ということの両方を伝える必要があります。人工乳を減らしていく場合は、必ず定期的なフォローを行ってください。

● C 母親の感染症罹患や薬剤の使用時

感染症に罹患したりして薬を服用するときに母乳をどうしたらいいかという質問を健診時によく受けます。授乳と感染症[50]や薬剤[51]に関する科学的な情報や知識を身に付けておくことが大切です。特にお母さんたちは、服用した薬が母乳を介して赤ちゃんの体内に入ってしまうことをとても心配します。

表4-3[52]をもとにアドバイスし、不必要

表4-2 児の母乳摂取量と母親の母乳産生量を増やす方法

- 児が乳房に適切に吸着できるよう援助する。
- 授乳回数を増やす方法を母親と話し合ってみる。
- 母親に赤ちゃんの満腹や空腹のサインを教える。そうすれば、母親は時計に頼らずに赤ちゃんの様子を見て、片方の授乳が終わってもう一方を授乳するタイミングがわかるようになる。
- 児と肌を直接触れ合わせ、ぴったりと抱くよう励ます。
- おしゃぶりや人工乳首（ニップルシールドを含む）の使用を避ける。
- 児がぐずったらなだめるために乳房を含ませるよう提案する。
- 乳汁の流れを良くするために授乳の間乳房を優しくマッサージをする。吸啜力の弱い児には児が吸啜している間、乳房を圧迫して児が飲み取る量を増やす方法もある。
- 授乳と授乳の間に搾乳をし、カップかナーシングサプリメンターを用いて搾母乳を児に与える。これは児の吸啜が弱い場合や、授乳を頻回に求めない場合に特に重要である。
- 授乳や児の世話と、母親の休息や食事などの時間のバランスをどうとるか家族と一緒に話し合う。授乳に加え、搾乳したり補足栄養を与えたりする場合、家族からの援助は母親の精神的・肉体的負担を軽減するために大変重要な要素となる。

［UNICEF/WHO．"母乳の分泌"．母乳育児支援ガイドベーシックコース．BFHI2009翻訳編集委員会訳．医学書院，2009より］

今すぐ使える 会話例

シーン❹ 授乳中の服薬が心配

「虫歯や親知らずの治療をするときは授乳は控えたほうがいいのですか？」

「治療の際に使われる薬は一般に、麻酔、抗生物質、痛み止めです。麻酔は口だけにしか効かないので、母乳に影響はありません。抗生物質は可能であれば、子どもの抜歯時に使われるような薬をお願いしてください。痛み止めもアセトアミノフェンが最適ですが、ロキソニン®という痛み止めが出されるかもしれません。3日くらいですから、痛みを我慢せず薬を飲みながら授乳するとよいでしょう」

「風邪をひいたときはどうですか？」

「おっぱいはあげられますよ。おっぱいをやめて、粉ミルクを哺乳びんであげても、お母さんが赤ちゃんのお世話をするのであれば、風邪をうつす危険性は同じです」

「そういえばそうですね。でも母乳に風邪の菌が出てしまうのかなと……」

「風邪のウイルスはおっぱいには出てきませんが、風邪を治してくれる免疫はおっぱいに出てきますよ。それに、多くの風邪薬は授乳中でも心配ありません」

表4-3 授乳と薬

分類	安心して使える薬		できれば避けたい薬	
	薬剤名	商品名	薬剤名	商品名
解熱鎮痛薬	アセトアミノフェン	カロナール	アスピリン	
	イブプロフェン	ブルフェン		
	ロキソプロフェンナトリウム水和物	ロキソニン		
抗ヒスタミン薬	ジフェンヒドラミン	レスタミン	クレマスチンフマル酸塩	タベジール
	ジフェンヒドラミン塩酸塩	ベナ（服用すると眠くなる場合は避ける）		
	クロルフェニラミンマレイン酸塩	ポララミン（服用すると眠くなる場合は避ける）		
抗アレルギー薬	セチリジン塩酸塩	ジルテック		
	フェキソフェナジン塩酸塩	アレグラ		
	ロラタジン	クラリチン		
	ケトチフェンフマル酸塩	ザジテン		
	オロパタジン塩酸塩	アレロック		
	ザフィルルカスト	アコレート		
	モンテルカストナトリウム	キプレス、シングレア		
	プランルカスト水和物	オノン		
アレルギー性鼻炎薬	フルチカゾンプロピオン酸エステル（吸入）	フルナーゼ		
	ベクロメタゾンプロピオン酸エステル	リノコート		
気管支拡張薬	サルブタモール硫酸塩	サルタノール、ベネトリン		
	テオフィリン	テオドール		
	テルブタリン硫酸塩	ブリカニール		
	サルメテロールキシナホ酸塩	セレベント		
気管支喘息治療薬	ベクロメタゾンプロピオン酸エステル（吸入）	キュバール		
	フルチカゾンプロピオン酸エステル（吸入）	フルタイド		
	ブデソニド（吸入）	パルミコート		
	クロモグリク酸ナトリウム（吸入）	インタール		
鎮咳薬（咳止め）	ジメモルファンリン酸塩	アストミン	コデインリン酸塩水和物	リン酸コデイン
	デキストロメトルファン臭化水素酸塩水和物	メジコン		
	チペピジンヒベンズ酸塩	アスベリン		
	エプラジノン塩酸塩	レスプレン		
腸疾患治療薬（下痢止め）	ロペラミド塩酸塩	ロペミン		
	タンニン酸アルブミン（末剤）	タンナルビン		
抗菌薬（抗生物質）	ペニシリン系薬	パセトシン、サワシリン、バストシリン、オーグメンチン、クラバモックス	サルファ剤 クロラムフェニコール系薬 テトラサイクリン系薬	
	セフェム系薬	ケフラール、ケフレックス、オラスポア、フロモックス、メイアクトMS、セフゾン		
	マクロライド系薬	クラリシッド、クラリス、ジスロマック		
抗ウイルス薬	アシクロビル	ゾビラックス		
	バラシクロビル塩酸塩	バルトレックス		
	オセルタミビルリン酸	タミフル		
	ザナミビル水和物	リレンザ		
	ラニナミビルオクタン酸エステル	イナビル		
抗うつ薬 抗不安薬	パロキセチン塩酸塩水和物	パキシル	ジアゼパム（長期間の使用は避ける）	セルシン、ホリゾン
	セルトラリン	ジェイゾロフト		
	フルボキサミンマレイン酸塩	ルボックス		
	ノルトリプチリン塩酸塩	ノリトレン		

［水野克己監修．これでナットク母乳育児．へるす出版，2009より］

プラスワン　母乳栄養児の追跡調査の結果

●母乳育児と川崎病

　37,630人の集団を長期間追跡した研究があります[54]。生後6～7カ月時点の栄養方法について質問したところ、このうち232人が生後6～30カ月に川崎病のために入院しましたが、母乳を与えられている児は人工栄養の児よりも川崎病による入院が有意に少ないことがわかりました。

●新生児期の母乳量と成人期の骨面積

　母乳で育った児は人工栄養児に比して6歳時点の骨量が多いと報告されています[55]。また、1931年、1939年に出生時の状況ならびに乳児栄養について調査された人を対象に、1998年、2004年時点の腰椎の骨密度を調べたところ、男性では完全母乳栄養のほうが混合栄養よりも骨密度が高かったことが示されています[56]。

に授乳が中断されることがないようにしましょう。

② 授乳中の食事とアレルギー

●食べたものは母乳中に出てくる

　乳児健診において、母乳で育てている母親から、子どもの湿疹やアレルギーのことで相談を受けることがしばしばあります。母親の不安な気持ちを理解し、検査や治療が必要だと思われる場合には、母親が納得して検査や治療を受けられるよう説明しましょう。そのためには、母乳育児とアレルギーのことも理解しておく必要があります。

　母親が食べたものは母乳中に出てきます。卵や小麦のタンパクは母親の摂取後2～6時間後から4日後まで検出されます。これらの母乳中の食物抗原は感作抗原として働くことも、寛容誘導抗原として働くこともあります。いったん感作が成立すると母乳を介したアレルゲン曝露によりアレルギー症状が悪化することもあります。

　母乳育児がアレルギー疾患の予防につながるのかというテーマはとても研究者の関心を引き付けるようで、多くの研究者が前方視的に調査しています。結果は「予防効果あり」というものから、「関係ない」というものまで、いろいろあります。人種、生活環境などバックグラウンドが違いますので、「果たしてどうなの？」と考えてしまいます。ただ、母乳育児はアレルギーを予防するために行うものではなく、出産した子どもをその母親が育てるのが自然界の掟ですので、それは二の次にしましょう。

●学会は母乳育児が予防につながると記載

　アメリカ小児科学会は方針宣言[53]の中で表4-4のように示しています。この中でも、3カ月を超えて母乳だけで育てることはアトピー性皮膚炎や喘息を予防することにつながると示しています。

●母乳育ちの児のほうが発症率は低い

　アレルギー発症のハイリスク児を対象としたドイツでの報告では、栄養方法により以下

表4-4 期間に依存した母乳育児の利点

状態	リスクの低下（%）	母乳育児	注釈	OR	95%CI
中耳炎	23	少しでも飲んでいる	−	0.77	0.64-0.91
中耳炎	50	≧3カ月あるいは6カ月	完全母乳	0.5	0.36-0.70
中耳炎再発	77	≧6カ月完全母乳	4〜<6カ月母乳育児と比べて	1.95	1.06-3.59
上気道感染	63	>6カ月	完全母乳	0.3	0.18-0.74
下気道感染	72	≧4カ月	完全母乳	0.08	0.14-0.54
下気道感染	77	≧6カ月完全母乳	4〜<6カ月母乳育児と比べて	4.27	1.27-14.35
喘息	40	≧3カ月	アレルギー性疾患の家族歴あり	0.6	0.43-0.82
喘息	26	≧3カ月	アレルギー性疾患の家族歴なし	0.74	0.6-0.92
RSウイルス細気管支炎	74	≧4カ月	−	0.26	0.074-0.9
壊死性腸炎	77	NICU入院	早産児、完全人乳	0.23	0.51-0.94
アトピー性皮膚炎	27	>3カ月	完全母乳＋家族歴陰性	0.84	0.59-1.19
アトピー性皮膚炎	42	>3カ月	完全母乳＋家族歴陽性	0.58	0.41-0.92
胃腸炎	64	少しでも飲んでいる	−	0.36	0.32-0.40
炎症性腸疾患	31	少しでも飲んでいる	−	0.69	0.51-0.94
肥満	24	少しでも飲んでいる	−	0.76	0.67-0.86
セリアック病	52	>2カ月	母乳育児中のグルテン曝露	0.48	0.40-0.89
1型糖尿病	30	>3カ月	完全母乳	0.71	0.54-0.93
2型糖尿病	40	少しでも飲んでいる	−	0.61	0.44-0.85
白血病（すべて含む）	20	>6カ月		0.8	0.71-0.91
急性骨髄性白血病	15	>6カ月		0.85	0.73-0.98
SIDS	36	>1カ月少しでも飲んでいる	−	0.64	0.57-0.81

［The American Academy of Pediatrics Section on breastfeeding. Breastfeeding and the Use of Human Milk. Pediatrics. 115, 2012より］

の3つに分けてアトピー性皮膚炎の発症率を比較しています。母乳だけで育てられた児、母乳だけでは不足する場合に加水分解乳を補足された児、そして母乳で不足分する場合に通常の人工乳を補足された児の3つです。3歳までのアトピー性皮膚炎の発症率を比較し

たところ、母乳だけで育てられた児は、母乳の不足分を加水分解乳で補った場合と同様でした。発症率はどちらも、母乳に通常の人工乳を補足されていた児よりも有意に低いことがわかりました。ただし、児がハイリスクでない場合は母乳だけで育てることでアトピー性皮膚炎の発症が抑えられるという結果には至りませんでした[57]。

● **アレルギーを予防する因子**

では母乳中のどのような因子がアレルギー疾患の予防につながるのか、ちょっと考えていきましょう。

母乳にはたくさんの成長因子やサイトカインが含まれています。TGF-βは免疫寛容に関わり、アレルギーを発症した児の母親の母乳にはTGF-βが多いこともわかっています[58]。動物実験結果によると、授乳中のマウスが吸引したアレルゲンは乳汁中に出現しますが、子どもが摂取した乳汁中のアレルゲンはTGF-βと一緒にあるため、アレルゲンとTGF-βはT細胞の分化を誘導します。ヒトの喘息のマウスモデルにおいて、CD4＋T細胞が分化したCD4＋制御性T細胞は子どもにアレルゲン特異的な防御を与えることがわかっています。つまり、わが子がアレルギーを発症しないようにと母乳にTGF-βをたくさん分泌しているとも考えられますね。母乳には大量の分泌型IgA抗体が含まれており、アレルゲンと統合することにより体内に吸収されにくくなります。その結果、アレルギーの発症を抑制します。

他にもアレルギー発症を予防する母乳中の物質としては、可溶性CD14（sCD14）やポリアミンがあります。sCD14は制御性T細胞を誘導してアレルギーを予防する作用があります。ポリアミンに属するスペルミン、スペルミジンは腸管粘膜細胞の透過性を低下させてアレルギーを予防するのです。

FAQ

アレルギーが心配です。授乳中に卵・牛乳を控えたほうがアレルギーになりにくいと聞いたのですが、本当ですか？

A 日本の食物アレルギーに関するガイドラインでも、ヨーロッパの学会でも、妊娠中から授乳期のお母さんに対して予防的に食事を制限するようには勧めていません。自己流で食事を制限することで母乳中の栄養素が足りなくなったり、お母さんの身体が弱ったりすることもあります。何よりもお母さん自身が食事を楽しむことが大切です。そうはいっても偏った食事はよくありません。卵であれば1日1（〜2）個、牛乳であれば1日200〜400mLを目安にされてはいかがでしょうか。

もし、湿疹がすでにあって、アトピーと言われているのであれば、母乳に出てきた卵や牛乳の成分に対してアレルギー反応を起こし、湿疹が出ている可能性は否定できません。まずは、お子さんの検査（血液検査とプリックテスト）を行いましょう。その結果、卵や乳製品に反応するのであれば、卵や乳製品を含む食べ物（加工品も含めて）を1週間くらい一切やめてみて、湿疹がよくなるかどうか見てみるのは一つの方法だと思います。それで良くなれば、一度アレルギーに詳しい小児科医に相談してください。

● 腸内細菌叢の違い

　さて、母乳で育った子どもは人工栄養の子どもと腸内細菌叢が異なることがわかっています。腸内細菌叢の違いはその子どもが将来アレルギー疾患を発症するかどうかにも関係してきます。アレルギーを発症する児ではビフィズス菌属や腸球菌が少なく、クロストリジウム属が多いという報告があります[59, 60]。母乳を与えることは母乳中のエクソゾーム（microRNA）、幹細胞、いろいろな成長因子、サイトカイン、多価不飽和脂肪酸（PUFA）、さらには母親の持つ腸内細菌叢を与えることにもつながります。母乳には好ましい細菌叢を確立するのに重要なプレバイオティクス作用もあります。善玉菌が住み着くか病原菌が住み着くかで性格まで変わってくる……なんて実験結果まであります。善玉菌とお友達になりたいですね。

● 魚を食べるとアレルギーは防げる？

　妊娠中の女性にn-3系PUFAを与えると一般的な食物アレルゲンへの感作が減少すること、そして、生後1年間のアトピー性皮膚炎の罹患率が低下することがいくつかの研究結果で示されています[61, 62]。n-3系PUFAは免疫系のプログラミングに効果を与えることがわかっています[63]。近年の食生活では、果物や野菜からの抗酸化物質摂取が減少し、n-6系PUFA摂取（マーガリン、野菜油）が増加しています。さらに、魚からのn-3系PUFA摂取が減少していることが、近年のアトピー性皮膚炎や喘息の発症率増加に関与しているという報告もあります。Almらは生後9か月以前に魚を食べ始めることは湿疹のリスクを低下させると報告しています[64]。母親がアレルギー疾患を持っていなければ、妊娠中、週

今すぐ使える会話例

シーン❺ 仕事復帰で母乳続行を悩む

「仕事に復帰するのですが、母乳はもう続けられませんか？」

「母乳は赤ちゃんをばい菌やウイルスから守ってくれますから、風邪や下痢をしにくくなりますよ。お母さんも安心してお仕事ができますね」

「でも、どうやって続ければ……」

「冷凍したおっぱいをあげてくれるか託児所に聞いてみてください。OKなら大丈夫、続けられます。もし冷凍母乳をあげてもらえないとしても、一緒にいるときはいつでもおっぱいをあげてください。託児所でがんばったお子さんへのご褒美でもあります」

「朝と夜だけでもいいんですね！」

「もちろんです！　ちなみに、仕事に戻るのは木曜とか金曜からがいいですよ。1～2日でお休みがきますから。もしも可能なら、初めの1週間くらいは午前だけの勤務ができるとさらにいいですね」

に2～3回以上魚を食べていた母親の児は食物アレルギー（プリックテストで判定）になりにくいという報告、母親にアレルギー疾患のあるなしにかかわらず、魚の摂取量が増えるとプリックテストの陽性率は低下するという報告もあります。これらのことは、妊娠中から産後早期の母親の栄養が、その後の児のアレルギー発症にも関連してくることを示しています。食物油の主成分であるリノール酸などのn-6系PUFAを摂取すると、アラキド

今すぐ使える 会話例

シーン❻ 上の子と体重増加が違う

「下の子のほうが1カ月でずいぶん大きくなってびっくりしました。寝ているときも、うなったりして、心配です」

「上のお子さんもおっぱいでしたか？」

「はい。おねえちゃんは2歳まであげていました」

「それはすばらしい！ 2人目のときは早くからおっぱいがたくさん出るようになります。1回準備ができているので、すぐに増えてくるのです。それに、赤ちゃんとはいっても男の子と女の子では違いますね。男の子はよくうなります。気になるときは抱っこしてあげてください。大体それで落ち着きます」

ン酸反応系によりロイコトリエンが産生され、炎症やアレルギー反応が亢進しえます。n-3系PUFAの摂取にアレルギー予防効果なしとする報告もあり[65]、魚摂取のみで予防が可能とはいえないが、一定の効果は期待できるでしょう。

3 SIDS予防のためにも母乳育児を

● 母乳育ちの児は自ら安全な哺乳を保つ

直接乳房から哺乳するとき、児は自分で哺乳行動をコントロールしながら、呼吸数・心拍数・酸素飽和度などのバイタルサインにおいても安全な哺乳をしています。母乳だけで育てている場合、生後15週の乳児で、1日に平均11回哺乳することがわかっています[66]。また、夜間も2〜3回、起きて哺乳するのが母乳で育っている乳児の哺乳パターンです。

● 弱い刺激で覚醒することこそSIDS予防策

母乳で育つ児は、人工乳で育った児よりも弱い刺激で覚醒しますが、これはSIDS（乳

母乳育児と経済効果

冷凍母乳を扱ってくれる託児所は多くないかもしれません。わたしたち医療者が母乳の大切さを行政や教育者に伝えていくことで、今後変えていかなければならないところだと思います。母乳育児が母親にもたらす利点というのは意外と知られていません。母親自身にとっても大切なものということをわかってもらえると、前向きに授乳が続けられることでしょう。児のみならず母親に対しても、悪性腫瘍や生活習慣病のリスクを低下させる効果もあります。これだけでも医療費の削減には大きく寄与すると推測されます。

また、児の急性疾患のために母親が仕事を休まなければならないことも減るため、社会的効果も大きいのです。アメリカ食品医薬品局から出された報告によると、2001年時点の母乳哺育率（病院にて64％、生後6カ月にて29％）からそれぞれ75％、50％に上昇すると、年間少なくとも4,300億円（1ドル120円で計算）を削減できると試算されています[68]。

幼児突然死症候群）のリスクが低下する一因だと考えられています[67]。母乳だけで育てることにより、微細な刺激でも目を覚まし、環境の変化に対応しようとしているのでしょう。

夜、人工乳を多めに与えると朝まで寝てくれるので助かる、という言葉をよく耳にしますが、これでは自然の恩恵を捨てていることになります。生後3カ月になると児には自然と睡眠—覚醒のリズムができてきますので、夜中に何度も起こされてしまうのは、それまでの数カ月のことだと伝えるとよいでしょう。生後1〜2カ月の児には睡眠リズムをつけるのは無理であり、母親の生活パターンを児のリズムに合わせるしかないことも母親に伝えておきましょう。それが当たり前だとわかれば、余計な心配をせずに済むのです。

4 ウイルスキャリアへの母乳育児支援

a B型肝炎

● ワクチンを接種し、授乳は可能

B型肝炎ウイルス（HBV）の主な感染経路は母親から児への感染で、胎内感染例が1（〜5）％で、産道感染を含めた垂直感染率は約20％に認められます[68]。この母親から児への感染のほとんどは出生時に起こります。母子感染によりHBVキャリアが発生し、長期持続感染することにより、肝硬変、肝癌

FAQ 先天性サイトメガロウイルス（CMV）感染症の赤ちゃんの母乳育児は？

A すでに感染している赤ちゃんの体内には大量のCMVが存在します。そこに微々たる量のウイルスが母乳から加わっても大勢に影響はありません。それよりも、母乳の利点を赤ちゃんに与えましょう。

【参考】第2子を妊娠中の母親に先天性CMV感染を防ぐために伝えたいこと

①頻繁に石鹸と水道水で15〜20秒間、手を洗いましょう。特に、おむつ交換、お子さんの食事、鼻水やよだれの処理、オモチャを触った後は念入りに手洗いしましょう。

②お子さんの唾液やおしっこがついてしまったオモチャや家具などは、きれいに拭き取りましょう。CMVは石鹸、アルコール、漂白剤などに弱いので、手洗いや掃除の際は、水だけではなく、こうしたものが入った、薬局で売っている消毒薬を使うと効果的です。

③よだれのついたお子さんの手やオモチャが口の中に入らないようにしましょう。

④食べ物、飲み物はお子さんとは別にし、同じ箸やスプーンやフォークも使わないようにしましょう。

⑤お子さんにキスをするときは頬や唇へのキスはやめましょう。その代わりおでこにキスしたり、抱きしめてあげたりしましょう。

⑥CMVは乾燥に弱いので、敷物や布団類は天日で十分に乾燥させましょう。

⑦保育所などお子さん方と接する機会の多い職場で働いている場合は、職場でも㈰〜㈮の感染予防法を実践しましょう。

（「母子感染の実態調査把握及び検査・治療に関する研究」班、http://cmvtoxo.umin.jp/public_02.html）

FAQ

乳頭が痛く、傷があります。乳頭保護器を使ってもいいですか？
Ａ 乳頭保護器は乳頭痛の根本的な改善にはつながらないだけでなく、赤ちゃんが飲む母乳量が減る、母乳の出が悪くなるなどマイナス面も多いのが事実です。また、哺乳びんの乳首を乳頭保護器代わりに使用するのはやめてください。どうしてもという場合は、母乳育児の専門知識を持った医療者のもとで使ってください。

同じ食べ物を食べても、母乳の味は人によって違うのですか？
Ａ 母乳の甘さや食感、粘稠度や口腔内への広がり方は母親一人ひとりで異なります。母乳から経験するにおいの強さやタイプは、母親が摂取した食物や飲み物により決まるため、一人ひとりの児に独自の経験を築くこととなります。

表4-5 妊婦血液検査での評価

HBe抗原陽性の場合	80～90％に母子感染が成立し、キャリア化
HBe抗体陽性の場合	6～7％に母子感染が成立するが、ほとんどは一過性感染

を発症しえます。HBs抗原陽性の女性が授乳しても、子どもへの感染率は上昇しません。生後12時間以内にHB免疫グロブリン（HBIG）、HBワクチンを投与し、母子感染を予防します。1カ月健診では母親がHBVキャリアか否かを見落とさないようにします。

母子感染予防スケジュールを示します。HBワクチンは①生後12時間以内、②生後1カ月、③生後6カ月の3回です。

妊婦の血液検査から予測される母子感染のリスクは表4-5のとおりです。

なお、HBVキャリアの母親の母乳育児支援を行う医療者は、B型肝炎の抗体価を1年に1度検査すること、抗体価が低い場合にはHBワクチンを接種することが望まれます。

b C型肝炎

● **母乳を介した感染例はない**

日本人女性（妊婦）のHCV-RNA陽性率は0.4～0.9％です（HCV-RNA陽性とは、HCVウイルスが体内にいることを示します）。

1年間にHCV母子感染は700～900人発生していると推測されています[70]。HCVの母子感染率は母乳栄養でも人工栄養でも有意差はなく、授乳は原則として通常通り可能です。HCVは主に血液を介して感染します。母乳を介して感染することは理論的にはあり得ますが、HCV抗体陽性・HIV抗体陰性で肝炎症状のない母親から母乳を介して児に感染したという報告例はありません。

母親がC型肝炎ウイルスのキャリアである場合、生後3～6カ月と1歳の時点で表4-6の項目の検査を行います。

● **多くは移行抗体が消失する**

抗体陽性妊婦から出生した児では移行抗体が生後しばらく認められますが、生後13カ月までに95％の児で消失します。HCV-

表4-6 母親がHCVキャリアの児の検査項目

- 血算
- 生化学（AST、ALT、LDH、T-bil、d-bil、γGTP、ALP、胆汁酸、AFP）
- ウイルス検査（HCV抗体価、HCV-PCR）

RNAは遅くとも生後3カ月以内に陽性になります。しかし、3歳頃までに約30％が陰性化します。

C 成人T細胞白血病（ATL）

- **母乳を凍結することで感染力は低下**

HTLV-1（成人T細胞白血病の原因ウイルス）は母乳を介して子どもに感染しますが、40年以上（平均55年）という長期間の潜伏期を経て、発症するのは年間1,000人に1人です。ATLで死亡するリスクはタバコを吸っているヒトが肺がんで死亡する確率の半分以下です[71]。

HTLV-1は母乳中の生きた感染リンパ球を介して感染しますが、母乳を－20℃で24時間凍結することで感染リンパ球が死滅するために感染力は低下すると考えられています。

感染率は人工栄養の場合で約3％、3カ月未満の母乳栄養（注：完全母乳栄養だけではない）の場合で1.9％、3～6カ月の母乳栄養（同）で約10％、6カ月以上の母乳栄養（同）で約20％です。

- **乳汁選択の意思決定のための情報提供**

「HTLV-1母子感染予防対策マニュアル」には以下のように記載されています[72]。

- 経母乳感染を完全に予防するためには母乳を遮断する必要があり、原則として完全人工栄養を勧める。
- 母乳による感染のリスクを十分に説明してもなお母親が母乳を与えることを強く望む

プラスワン HTLV-1キャリア女性から出生した児への母子感染予防

「HTLV-1母子感染予防対策マニュアル」（平成28年度厚生労働行政推進調査事業費補助金・成育疾患克服等次世代育成基盤研究事業「HTLV-1母子感染予防に関する研究：HTLV-1抗体陽性妊婦からの出生児のコホート研究」）では、経母乳感染を完全に予防するためには、原則として完全人工栄養を勧めることとなりました。「母乳による感染のリスクを十分に説明してもなお母親が母乳を与えることを強く望む場合には、短期母乳栄養（生後90日未満）や凍結母乳栄養という選択肢もある」と記載されています[72]。

● **短期母乳（生後90日まで）**

この期間内に授乳をやめられるようにサポートしなければなりません。1カ月健診でその重要性を母親と確認し、1カ月後にも受診してもらうとよいでしょう。どの程度準備が進んでいるか確認しましょう。3カ月健診ではやめられていることを確認します。

● **冷凍母乳**

HTLV-1はT細胞内に生きています。ですので、T細胞が死滅するとこのウイルスも感染力がなくなります。逆に言えば、細胞が死なない方法（セルアライブシステム）では効果がありません。

場合には、短期母乳栄養（生後90日未満）や凍結母乳栄養という選択肢もあるが、いずれも母子感染予防効果のエビデンスが確立されていないことを十分に説明する。

- 完全人工栄養を実施しても母乳以外の経路で約3％に母子感染が起こりうることを説明する。
- 短期母乳栄養を選択しても、時に授乳が中止できず母乳栄養期間が長期化する可能性があることをあらかじめ説明する。

以前は母親が栄養方法を選択するように記載されていましたが、短期母乳栄養を選択しても生後90日以内に授乳を中断できない母親もいるため、原則は完全人工栄養を推奨することになったようです。

● **妊婦のHTLV-1スクリーニングとその後のフォロー**

HTLV-1キャリアの大都市圏への拡散を受けて、平成23年4月より妊婦に対するHTLV-1のスクリーニング検査が開始されています（厚生労働省がHTLV-1に関する情報をまとめています。https://www.mhlw.go.jp/bunya/kenkou/kekkaku-kansenshou29/wakaru.html）。これを受けて、日本小児科学会は、①全ての妊婦がHTLV-1抗体のスクリーニングを受けること、②スクリーニング陽性であった場合、必ず確認検査（LIA法やPCR法）を行うこと、③キャリアと同定された妊産婦への通知と栄養方法の選択に関する説明は、妊産婦の抱える心理的・社会的な背景などに配慮し、正しい情報の提供を行い、妊産婦が十分理解し自身で意思決定できるよう支援すること、④キャリアから生まれた子どものフォローアップ体制を整えること、⑤キャリアを支えるためのカウンセリング体制・サポート体制をそれぞれの地域で構築すること、が必要であるとの見解を示しています。

なぜヒトはゆっくり成長する？

■ 問題 ■

生後1カ月、母乳8回/1日と人工乳80mLを2回/1日で、体重増加は分娩施設退院後50g/日です。さて、あなたはどうしますか？
a：そのまま　「よく体重が増えています！いいですね！」
b：人工乳中止　「太りすぎになります。粉ミルクはやめましょう」
c：人工乳減量　「少し粉ミルクを減らして1週間後に体重をチェックしましょう」

答えはCですね。目安は80mLを1回/1日、または40mLを2回/1日として、体重の増え方がどうなるかをフォローします。そのとき、母乳を欲しがる回数は増えるかと思います。「それでいいのです」と伝えておくとよいでしょう。

母乳だけで健康に育つ赤ちゃんに人工乳を与えて体重が過剰に増えることは、決してよいことではありません。ここで、その理由を紹介しましょう。

哺乳動物の乳汁はその種の成長を調節しています。ラットの乳汁中のタンパク質濃度は100mL当たり11gと高く、生まれた仔ラットは4日間で出生体重の倍になります。猫や犬は8～9gで、10日で出生体重の倍になります。牛の乳汁は3.5gで、40日で出生体重の倍になります。ヒトは1.2g/100mLで、出生体重の倍になるのに180日間を要します[73]。ヒトは出生後の成長が他の哺乳動物に比べて最もゆっくりですが、これは脳の成長を優先させ認知機能を高めた結果を表しています。乳児期の急激な成長は喘息の罹患リスクを高めるという報告もあります[74, 75]。生後に人工栄養で育てられることで過剰にタンパク質を摂取すると、体重増加、体脂肪増加につながり、そして小児肥満の罹患リスクも上昇します[76~78]。それはアミノ酸によるmTORC1シグナル伝達が増加するためだと考えられています[79]。つまり、人工乳に含まれる過剰なタンパク質を摂取して育つことで、アミノ酸過剰状態となり、その結果、いろいろな免疫細胞に存在するmTORC1が過剰に刺激されると考えられます。このmTORC1シグナル伝達は喘息の初期段階において重要な役割を果たすことがわかっています[80]。このように高タンパク質の人工栄養を摂取することはmTORC1シグナル伝達を乱して、免疫細胞のプログラミングを変えてしまう恐れがあるのです。

　アレルギー疾患罹患と肥満とは、これまでの疫学研究で結び付けられています。子どもの体重が生後早期に急激に増加することは、6歳までの喘息の強いリスクとして考えられています。中でも乳児期のBMIは小児ぜんそくの重要な予測因子だと考えられています[81]。

　インスリン分泌との関係から見てみましょう。アミノ酸はインスリン分泌を促すことが知られています。母乳栄養児に比べて、人工栄養児ではアミノ酸の過剰摂取が多いことが報告されています[82]。尿中のCペプチド濃度[注1]は、母乳で育っている児が最も低く、次いで低タンパク人工乳で育っている児（1.2g/dL）、通常の人工乳で育っている児では母乳栄養児の倍以上のCペプチド濃度でした[83]。

　それ以外にも以下に示すような因子によって、乳児期に摂取する乳汁の種類によってFoxp3[注2]の誘導や制御性T細胞への成熟は影響を受けるのです。
・乳汁中のmicroRNAを介したFoxp3発現
・乳汁に由来するビフィズス菌やビフィズス菌の成長を促進する因子
・乳汁中の脂肪酸を介する制御性T細胞の成熟
・乳汁中の幹細胞

● 注1［Cペプチド］：インスリンが合成される前段階の物質（プロインスリン）が分解されるときに発生する物質です。インスリンと同程度の割合で血液中に分泌され、ほとんどが分解されないまま血液中を循環し、尿とともに排出されます。血中や尿中のCペプチドを測定すると、どの程度インスリンが膵臓から分泌されているのかが把握できます。

● 注2［Foxp3］：Foxp3は制御性T細胞（Treg）のマスター転写因子です。Tregの分化・機能発現・分化状態の維持のすべてにおいて必須の役割を担っています。

新型コロナウイルス感染症と母乳

　日本小児科学会予防接種・感染症対策委員会は「新型コロナウイルス感染症に関するQ&A」（2020年8月1日現在）の「Q4　母乳はやめておいた方がいいですか？」にて以下のように回答しています[84]。

　「母乳中からウイルス遺伝子が検出されたという報告はありますが、感染性のあるウイルスが母乳に分泌されるかどうかも不明であり、母乳の利点を考えれば母乳をやめておいた方がよいということはありません。母親の病状や希望により以下の3つの方法が考えられます。①授乳前の確実な手洗いと消毒、マスクを着用して直接授乳、②確実な手洗い、消毒後に搾乳をし、感染していない介護者による授乳、③（母乳の利点を説明した上で）人工栄養を選択する場合は人工乳を授乳」

　なお、母乳自体に新型コロナウイルス感染を予防する可能性を示す論文もありますので紹介します[85]。この論文では母乳を細胞表面にかけたのちにウイルスを入れても、細胞への接着ならびに侵入を量依存性に防ぐだけでなく、ウイルスの複製も抑制することが示されています。ウシやヤギの乳汁でも同様の効果が認められていますが、ヒトの乳汁で最も抑制作用があったとのことです。これはHIVでも同じような報告があり、母乳の力を考える上でとても興味深いです。

液体ミルク

　災害時の対策とすることが液体ミルクのメインの目的でしたが、乳児健診に液体ミルクを持参する両親は少なくありません。アメリカ小児科学会は災害時であっても、母親の母乳が一番であり、授乳を続けられるように周囲のサポートが必要だと言っています[86]。災害時に母親の母乳が得られない場合、最善の栄養はドナーミルクです。認可された母乳バンクから提供される低温殺菌処理されたドナーミルクが望ましいですが、災害時には手に入らないこともあります。よって、もし人工乳を与えるのであれば、液体ミルクを使うと記載されています。しかし、調乳の手間が省ける、外出時の荷物が減るなどの利点もあり、両親からの受け入れはよいようです。もちろん、液体ミルクの利点ばかりが強調され、母乳で育てている母親まで液体ミルクを利用することがあってはなりません。私たちには、母親に母乳で育てることの大切さをわかりやすく伝えられるコミュニケーションスキルが求められています。私たち医療者も液体ミルクを頭ごなしに否定するのではなく、液体ミルクについて理解を深めなければならないでしょう。

5 健診へとつなげるために大切な退院診察
母と子の状況をしっかり見極めよう！

はじめに

いわゆる乳児健診とは少し違いますが、新生児が産科施設を退院する際の診察（退院診察）で確認しておきたいことを説明します。

今すぐ使える 会話例

シーン❼ いつ乳があるとき

「どうして飲んだ母乳が口から出てくるのですか？」

「赤ちゃんの胃はひょうたんのような形をしていることが多く、胃から口の方に乳汁が戻りやすいためです。お母さんが座椅子やリクライニングチェアで楽な体勢になって、お母さんの胸のあたりに赤ちゃんを腹ばいにしてあげてもよいでしょう」

「腹ばいで寝かせてはダメですか？」

「本来赤ちゃんは腹ばいのほうが乳汁の流れはよいのですが、マットや布団に腹ばいにしたまま目を離すとSIDS（p.44参照）の危険性が高くなると言われていますので避けてください。でも、お母さんに抱かれて腹ばいになっていれば、赤ちゃんが息をしているのはわかりますね」

健康な新生児を診察し、1カ月健診（もしくは2週間健診）までに想定される事項や注意点について、あらかじめ説明しておくことができれば、母親は安心して児と向き合っていくことができます。父親や祖父母も、できれば一緒に診察の場にいてもらうとよいでしょう。何といっても、退院後の母親と児をサポートしてくれるのは家族なのですから。

1 退院時の児の状態と注意点

できるだけ退院時の診察は母親の目の前で行い、児の状態を説明します。このときに質問があればそれに答えますが、母親から特に質問がなくても、いくつかの注意点と心構えのようなものを説明しておきます。

a 体 重

● **児の状態および確認事項**

- 一般に、最大体重減少は日齢1～2
- 日齢3には体重減少の程度は減るか、増加に転じる。
- 日齢4を過ぎても体重減少が続く場合は、乳汁生成が遅れているか、児が適切に母乳を飲み取れていないと考える必要がある。

● **母親へのアドバイス**

もし、児が適切に母乳を乳房から飲み取れないのであれば、搾乳の方法を伝えます。母親が搾乳方法や手技を十分理解していることを確認するとともに、搾母乳はスプーンや

> **今すぐ使える会話例**
>
> **シーン⑧ 母乳を噴水のように吐くとき**
>
> 「お乳を噴水のように吐きます」
>
> 「生後2〜3週の頃、飲んだ母乳を噴水のように吐くことがあります。これは（肥厚性）幽門狭窄症といって、胃から腸に行く出口がだんだんと狭くなるためです。立て抱きを長くしたり、お母さんの胸に赤ちゃんを腹ばいで抱っこしていても"ブワーッ"と勢いよく大量の乳汁を吐くようになります。もし授乳のたびに吐くような場合は、治療が必要ですので、すぐに小児科を受診してくださいね」

コップを使って与えてもらいましょう。家庭の事情などで、体重が減少傾向のまま退院するのであれば、同様に搾乳してスプーンやコップで与えること、児の空腹のサインに合わせて授乳することをしっかりと伝えて、数日後には受診することを勧めます。

児が在胎37〜38週で出生した場合は正期産ですが、予定日頃までうまく飲み取れないこともあります。このような場合も搾乳して与えるようにしましょう。

b 頭　部

● 児の状態および確認事項

- 頭囲
- 形態
- 大泉門の大きさ
- 骨重合
- 頭囲や大泉門の拡大があると考えた場合、頭部超音波検査を行う。
- 頭血腫については母親からの質問が多い。

● 母親へのアドバイス

頭血腫は多くの場合、1カ月くらいで消失するので心配ないことを伝えます。化骨化して頭蓋骨の突起として触れることがありますが、ほとんどの場合、頭の形には影響しないことも付け加えておきましょう。頭血腫がある場合は黄疸が遷延することがあるので、生後2週間での健診を行うとよいでしょう。

c 頸　部

● 児の状態および確認事項

- 腫瘤の有無を探る。
- 正中頸嚢胞、側頸嚢胞、筋性斜頸、甲状腺腫などが見られないか。

d 胸部（心音）

● 児の状態および確認事項

出生時や日齢1の頃には聞こえなかった心雑音が、肺血管抵抗の低下とともに肺血流量が増加して退院時に聴取されることもあります。心雑音を聴取する場合は、超音波検査で心臓や心血管に形態的な異常がないかをチェックしておきましょう。

e 胸部（呼吸音）

● 児の状態および確認事項

上気道の吸気性喘鳴を聴取しても、呼吸状態に異常がなく、哺乳が良好であれば生後2週間にチェックします。泣くと強く聞こえる吸気性喘鳴では、喉頭軟化症も注意しなければなりません。

● 母親へのアドバイス

児が啼泣すれば鼻汁が増加して喘鳴は一層強くなりますので、少なくとも2週間健診までは抱っこをして、泣かせないように伝えましょう。同様に喉頭軟化症の場合も、児の強い吸気に伴って喉頭蓋が引き込まれると、吸

表5-1 早期新生児期の尿・便回数

生後日数	尿	便
生後24時間	1回	胎便1回〜
生後24〜48時間	2〜3回	2回〜
生後48〜72時間	4〜6回	移行便3回〜
4日目	薄黄色	移行便4〜6回
5日目	無色・6〜8回	黄色：3〜4回
6日目	無色・6〜8回	4回以上

［WHO/UNICEF. Baby-friendly Hospital Initiative. Section 2 : Strengthening and sustaining the Baby-Friendly Hospital Initiative. The Scientific Basis for the Ten Steps to Successful Breastfeeding. 2007より］

表5-2 35週以降に出生した児が、重症黄疸を発症するリスク因子（AAPプロトコールより）

- 退院前の血清ビリルビン値が高い（退院時に血清ビリルビン値がハイリスクゾーンにある場合：図5-1）。
- 生後24時間以内に黄疸が認められた。
- 血液型不適合や他の溶血性疾患
- 在胎35〜36週での出生
- 前児に光線療法の既往がある。
- 頭血腫や大量の皮下出血がある。
- 母乳だけで育てているが、授乳がうまくいっておらず、体重増加が十分でない。
- 東アジア人種

［AAP subcommittee on Hyperbilirubinemia. Management of Hyperbilirubinemia in the newborn infant 35 or more weeks of gestation. Pediatrics. 114, 2004より］

気性の呼吸障害が悪化しますので、泣かせないように伝えます。授乳は児の空腹のサイン（p.27 表3-2参照）を見逃さず、赤ちゃんが泣いてからでは少し遅いことを確認します。

f 腹　部

- 児の状態および確認事項
- 尿や便の回数、性状など（表5-1）[87]
- いつ乳はないか（胃軸捻転や胃食道逆流）。
- 母親へのアドバイス

いつ乳がある場合は、急に身体を動かしたり、寝かせたりすると吐くことを伝えます。

g 外陰部[88]

- 小陰茎

陰茎の構造異常がなく、伸展陰茎長（陰茎を十分に伸展させた状態で恥骨結合から亀頭先端〔包皮先端ではない〕までの陰茎背面の距離で測定）が2.4cm未満の場合を示します（日齢1以降の新生児期）。

- 陰核肥大

包皮を含めた横径を測定し、横径7mm以上の陰核を陰核肥大と判断し、アンドロゲン過剰を疑います。

h 臍

- 児の状態および確認事項
- 臍肉芽腫がないか。

臍帯は退院前後に脱落することが多いです。多くの産科施設では1カ月健診までアルコールでの消毒を勧めていますが、脱落した後は乾燥させることが基本です。

- 母親へのアドバイス

「赤いおできのようなもの（臍肉芽）がおへその中にあって、じくじくするようであれば糸で結び、場合によってはステロイド軟膏を塗ったり硝酸銀で処置（p.89参照）をしますから連絡してください」と伝えておきます。

i 黄　疸

- 児の状態および確認事項
- 黄疸を認めるか。

母乳で育っている児では多少の黄疸は認められます。ただし、表5-2[89]・図5-1[89]に示した重症黄疸のリスクのある児に対しては、退院前に全身的な評価を行うことと、1カ月健診より前（できるだけ生後2週）に診察することが必要になります。具体的な治療

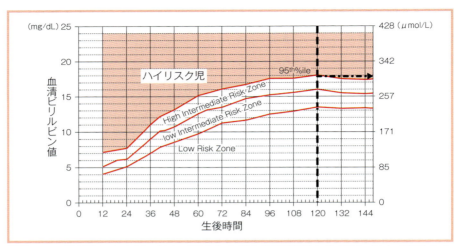

図5-1 36週以降に2,000g以上で出生した児と35週以降に2,500g以上で出生した児の血清ビリルビン値の生後日数での推移

［AAP subcommittee on Hyperbilirubinemia. Management of Hyperbilirubinemia in the newborn infant 35 or more weeks of gestation. Pediatrics. 114, 2004より］

FAQ

退院診察編

生後4日目で「赤ちゃんが黄色いので血液検査をします」と言われました。赤ちゃんが黄色いというのはどういうことでしょうか？ 母乳が良くないのでしょうか？

A　赤ちゃんの肌が黄色くなるのは、黄疸といって、生まれてしばらくは大なり小なりみんなあるものです。赤ちゃんの赤血球は生まれてから大人の赤血球に変わっていきます。このときに壊れた赤血球からビリルビンという物質ができてきます。これが、黄疸のもとになります。黄疸というとなんだか悪いことのように聞こえますが、このビリルビンにはとても強い抗酸化作用[注]があります。エベレストの山頂くらいしか酸素がなかった子宮内から豊富に酸素がある子宮外にいきなり環境が変化するわけですから、酸素の悪い作用を防いでくれるビリルビンは重要なものなのです。もちろん、母乳が良くないから黄疸が出るというわけではありません。

　ただ、赤ちゃんがおっぱいをうまく飲み取れていないために黄疸が強くなることはあります。飲み取るおっぱいの量が少ないと、黄疸の原因となるビリルビンをたくさん含んだうんちが出にくくなってしまうので、黄疸がなかなかよくならないのです。どんなふうにおっぱいをあげているのか、一度見せていただけますか？

● 注［抗酸化作用］：酸化とは物が錆びたり、腐ったりすることをいいます。ヒトの身体も酸化します。一部の酸素は化学変化を起こし、活性酸素というものを発生させます。この活性酸素が人間の身体を酸化させ、老化を招きます。その活性酸素の働きを抑えることが、抗酸化作用なのです。

表5-3 黄疸のリスクを伴う正期産児のマネジメント案

●退院時に表5-2のリスクがある場合、2週間健診にて全身のチェックを行う。

1) 在胎39週以降で出生した児【2週間健診（＝修正41週を超えている*）にて】
   a) 総ビリルビン値：<20mg/dL：体重、黄疸を外来でフォロー。
   - 退院後の体重増加が170g/週以上：児の哺乳力と活動性に注意するよう母親に伝える。次は1カ月健診でフォロー（不安があれば1週間後フォロー）。
   - 退院後の体重増加が170g/週未満：授乳の見直し、搾乳を提案し、1週間以内にフォロー。
   b) 総ビリルビン値：20～25mg/dL：授乳の見直し、搾乳を提案し、翌日フォローする。さらにビリルビン値が上昇しているなら母児同室で光線療法を考慮。
   c) 総ビリルビン値：>25mg/dL：母児同室で光線療法（p.53の本文を参照）。授乳は継続するが、交換輸血を考慮する状態であれば人工乳を24時間補足することも考慮される。児に急性ビリルビン脳症の症状があれば、ただちに交換輸血を行う。交換輸血の基準としてはAAPのガイドラインを参考にして総ビリルビン値と血清アルブミン値で決める。総ビリルビン値（mg/dL）／アルブミン（g/dL）が8以上であれば交換輸血を考慮。交換輸血レベルに近い場合、光線療法の効果判定は2～3時間ごとに行う。

   *修正41週までは村田の基準を参考として光線療法の開始を決めるという考えもある。

2) 在胎39週未満で出生した正期産児【2週間健診（＝修正41週未満）にて】
   a) 総ビリルビン値：<20mg/dL：体重、黄疸を外来でフォロー。
   - 退院後の体重増加が170g/週以上：児の哺乳力と活動性に注意するよう母親に伝える。次は1カ月健診でフォロー。
   - 退院後の体重増加が170g/週未満：授乳の見直し、搾乳を提案し、3～4日後にフォロー。
   b) 総ビリルビン値：20～25mg/dL：母児同室で光線療法を考慮。授乳の見直し、搾乳を提案する。
   c) 総ビリルビン値：>25mg/dL：1) と同様

●生後3週に入っても黄疸を呈する児の場合

安易に母乳性黄疸と決めつけず、血清総ビリルビン値と直接ビリルビン測定を行う。
直接ビリルビンが高値（2.0mg/dL以上）、尿の色が濃い、便の色調がクリーム色や灰白色は速やかに小児外科に紹介し、胆道閉鎖などの胆汁うっ滞の原因を検索する。胆道閉鎖は生後60日以内に治療を行えるかどうかで予後が変わるので、見落とさないように注意する。

【母乳性黄疸で核黄疸を発症する児の特徴】
- 10％以上の体重減少がある（嗜眠傾向や哺乳不良があったことを示唆）。
- 溶血性疾患がある。
- 感染がある。
- 遺伝的な素因がある。
※総ビリルビン>25mg/dLの場合は、上記の特徴にも注意して観察する。

［AAP subcommittee on Hyperbilirubinemia. Management of Hyperbilirubinemia in the newborn infant 35 or more weeks of gestation. Pediatrics. 114, 2004ならびにGartner, LM. Breastfeeding and jaundice. J Perinatol. 21（Suppl 1), 2001より］

基準を表5-3[89, 90]に示しました。

母児同室で光線療法という選択肢がない病院も少なくありません。そのような場合は、人工乳を補足または24時間人工乳に変更もやむなしと思います。母子分離になってしまっては元も子もありませんからね。

退院診察時または直前に光線療法基準値を超えた場合でも、産科施設に入院中であれば、できるだけ母親と児が一緒にいて、母乳育児を行える光線治療の方法を選択してください。授乳の間、光線療法を中断しても、血清ビリルビン値の低下には影響しません。交換輸血レベル（25mg/dL）に近い場合を除いて、授乳時には光線療法を中断します。

光線治療は必ずしも保育器を用いて行う必要はなく、ファイバーオプティックケーブル

プラスワン 母乳性黄疸のメカニズム

　一般的に、母乳性黄疸は遷延性黄疸のカテゴリーに含まれます。母乳で育っている児の多くは、生後5日目以降も高間接ビリルビン血症が続きます。母乳性黄疸では、生後10〜15日にかけてビリルビン値が上昇しますが、多くは生後3〜4週にかけて低下していきます。多くの場合、児の体重増加・全身状態は良好です。そして、健康な正期産児では母乳性黄疸によって、間接ビリルビンが20〜25mg/dLを超えるような高値を示して核黄疸の危険にさらされることは稀です[90]。なぜ母乳で育つ児に黄疸が続くのかは長い間不明でしたが、母乳中のEGF（上皮成長因子）濃度と児の血清EGF濃度ならびに血清ビリルビン値に正の相関があるというデータが出されました[91]。EGFは腸管からのビリルビン吸収を促進する作用もあります。また、ビリルビン自体には抗酸化作用もあります（p.54 FAQ参照）。

を用いたビリブランケット®、そして蛍光管を用いたビリベッド®やライトベッド®でも有効です。この方法では、母子分離の必要がないため児の空腹のサイン（p.27 表3-2参照）に合わせた頻回な授乳が可能で、母と児のアイ・コンタクトを妨げる目隠しも必要ありません。

- 母親へのアドバイス

　「FAQ〜退院診察編〜」を参照してください（p.54）。

j 神経学的所見

- 児の状態および確認事項
- 視診にて顔貌、肢位、姿勢の異常を観察する。
- 音や光に対する反応や泣き声が奇異でないか（音に対する反応は両親に説明した上で自動聴性脳幹反応〔ABR〕を行うことが一般的）。
- 引き起こし反射やventral suspensionにて筋緊張を評価する。
- 把握反射、モロー反射について確認し、左右差の有無などを見ておく。

k 皮　膚

- 児の状態および確認事項
- サーモン・パッチがないか。
- ウンナ母斑がないか。
- 異所性蒙古斑がないか。
（詳細はp.85「1カ月健診」の項を参照）

- 母親へのアドバイス

　サーモン・パッチは早ければ生後1週間くらいから消失し始めますが、ウンナ母斑と言われる項部にできるやや濃い紅斑は長期間見られることがあります。臀部以外にできる異所性蒙古斑でなければ、4〜5歳までには消失するので、心配いらないことを伝えておくとよいでしょう。

l 眼

- 児の状態および確認事項
- 眼位の異常、斜視はないか（新生児期〜乳児期では内眼間が広いため内側を向いているように見えるので、眼の動きも注意する）。

- 結膜下出血はないか。
- 鼻涙管狭窄や閉塞はないか。
- **母親へのアドバイス**

　斜視を考える場合には眼科に紹介しますが、片方だけで物を見ていると使わない方の眼の視力が育たないためであることを伝えます。結膜下出血は、他の症状がなければ経過観察で消えていくことを伝えておきます。鼻涙管狭窄や閉塞の場合、眼脂がある方に抗生物質の点眼と涙嚢部のマッサージを行うように説明して経過を見ます。

m 骨・関節

- **児の状態および確認事項**
- 鎖骨骨折はないか（鎖骨骨折では、骨折している側のモロー反射が減弱し、鎖骨を触れるとわかる）。
- 股関節の開き具合
- **母親へのアドバイス**

　生後1週間から自然に仮骨形成をして鎖骨骨折は治っていきます。股関節の開排制限を退院時から認める場合は、強度の股関節脱臼であることが多いので、整形外科に診察を勧めましょう。

n その他

　新生児聴覚スクリーニングがREFERのとき、先天性サイトメガロウイルス（CMV）感染症をチェックしておきましょう。尿（生後3週まで）のCMV核酸検査には保険が適用されます。

2 母乳で育てる母親をフォローするためにおさえておきたいこと

- **退院時の確認事項**

　退院後も母乳で育てていくために、退院時に確認しておきたいことがいくつかあります（表5-4）[92, 93]。表の中の1～4までの項目については、助産師と一緒に行うか、助産師に確認しましょう。

- **母乳育児の困難な点を伝えておく**

　母乳育児を困難にすることには表5-5のようなものがあることを、あらかじめ伝えておきます。事前にわかっていれば、乗り越えられるケースも多いものです。家族のサポート（表5-6）が大切になってきますので、出産前から頼ることができる人にはお願いしておくとよいでしょう。

3 退院時に必ず伝えておきたいこと

　育児不安が強い時期は分娩施設退院後から産後1カ月の間です。赤ちゃんのことで多くの母親が心配することとその対策をあらかじめ伝えておくとよいでしょう。

a 退院後1週間以内でチェックしたほうがよいケース

　退院後、1週間以内にチェックしたほうがよいケースには、表5-7のような場合がありまこの場合には、退院時に1週間以内に受診するよう伝えます。

b 赤ちゃんとの生活の基本

　産科施設を退院するとき、赤ちゃんと生活する上でぜひ母親に伝えておきたいことを4つ書いておきます。

- **赤ちゃんはまとめて寝ないのが普通**

　新生児は昼夜関係なく、寝たり起きたりします。夜、まとめて寝てくれないのが普通であることを確認しておきます。

　また、寝かせると泣くこともしばしばあります。赤ちゃんの背中には"泣きボタン"があり、寝かせるとそこが押されるので泣くので

表5-4 母乳育児を継続するために、退院のときに母親ができているか確認したいこと

1. 児がおっぱいを欲しがっているサイン（p.27 表3-2）[92]に応える。
2. 母親が自分に適した授乳姿勢で楽に授乳できる（p.28～31母乳育児の項を参照）。
3. いくつかの授乳姿勢を知っている（p.28～31母乳育児の項を参照）。
4. 苦痛になるほどの乳頭痛や乳房の張りすぎがない。
5. 児が有効に吸着・吸啜でき、体重が増え始めている。
6. 母親が自信を持って1人で授乳できる。
7. 児が十分に母乳を飲んでいるサイン（*）を知っている。
8. 困ったときはどこに助けを求めるか知っている。

*新生児が十分に母乳を飲んでいるサイン（UNICEF/WHO、2003）[93]
- 赤ちゃんが24時間に少なくとも8回おっぱいを飲んでいる。
- 授乳の際、吸啜のリズムは母乳が出てくるとゆっくりになり、嚥下の音やごくごく飲む音が聞こえるかもしれない。
- 赤ちゃんはいきいきとしていて筋緊張がよく、皮膚の状態も健康である。
- 授乳と授乳の間は満足している様子である（ただし、十分に飲んでいる赤ちゃんが別の理由で機嫌が悪いことはあり、それによって母親が自分の母乳が足りないのだと思い込むこともある）。
- 24時間に色の薄い尿で6～8枚（布の）おむつを濡らす（注：紙おむつの場合はもっと少ないこともある）。
- 24時間に3～8回排便が見られる。月齢が進むと便の回数は減るかもしれない。
- 1日平均18～30gの割で体重が着実に増えている。
- 母親の乳房は授乳前には張っているような感じがあり、授乳後には軟らかくなるかもしれない。ただし、すべての女性がはっきりとした変化を経験するわけではない。

［UNICEF/WHO. "母乳育児を支援するための具体的な方法". 母乳育児支援ガイドベーシックコース. BFHI2009翻訳編集委員会訳. 医学書院, 2009ならびにUNICEF/WHO. "母乳不足". UNICEF/WHO母乳育児支援ガイド. 日本ラクテーションコンサルタント協会訳. 医学書院, 2003より］

表5-5 母乳育児を困難にすること
- 時間や間隔を決めて授乳する。
- 人工乳の補足
- 母親と児が別々に寝る。
- 乳頭痛、陥没乳頭、乳腺炎などの乳頭・乳房トラブル
- 仕事と家事と育児の両立
- 社会経済的に低水準である状態
- 社会的孤立
- 経産婦（上の子に手がかかる場合の育児負担増）

表5-6 家族の支援
- 家事・炊事・洗濯・掃除などは父親（育児休暇がとれれば可能な限り長めにとってもらう）や家族にお願いする。
- 母親の負担になるようなイベントは避ける。
- 引っ越しは避ける（妊娠中を避けた結果、産後すぐの引っ越しも見受けられるが、好ましくない）。

表5-7 退院後1週間以内の再診を要するケース
①体重が増加に向かっていない。
②産科施設入院中に光線療法を行った。
③母親の不安が強い。

す。「私を一人にしないで！」という赤ちゃんのメッセージです。2～3カ月になると「一人でも少しは大丈夫！」と寝てくれるようになってきます。母親には、「生後しばらくは赤ちゃんとお母さんはいつも一緒というところから、スタートしましょう。しっかりと休み、リラックスをすることはお母さんにとって大切なことです。昼間でも赤ちゃんが寝ているときは一緒に休みましょう。家事・洗濯・掃除などあれもこれもと気になりますが、できるだけ家族に手伝ってもらいましょう」と伝えます。

プラスワン 赤ちゃんのストレスとその後の発育・発達

　視床下部・下垂体・副腎皮質（HPA）系は糖質コルチコイドの産生と分泌を調節しています。長期間にわたってストレスが加わり、過剰な糖質コルチコイドに曝露されるとコルチゾール受容体が多く存在する部位の神経構築、機能を障害することがわかっています。その結果、加齢の促進、認知能力の低下、心血管系疾患、感染症、そして他の疾患のリスクとなるのです[94]。ラットの実験ですが、受胎から生後早期に受けた経験は仔ラットのQOLと生存期間に影響することが報告されています[95, 96]。

　生後早期の母親ラットによるケアは、仔ラットの生涯を通じて情動反応や糖質コルチコイド分泌に影響します。これらが過剰反応になると、仔ラットの認知能力の低下や生存期間の短縮につながってしまうのです。母親ラットが仔ラットを舐める・毛繕いをするなどの母性行動を示すと、仔ラットは将来、新しい事象も避けないようになり、よりいろいろな環境に適応しやすくなります。

　その逆に、母性行動が乏しい場合、仔ラットは新しい環境を嫌がり情動反応やHPA系の反応が強く出るようになります[97]。「公園で母親にしがみついて離れないのですが、どうしたらよいでしょうか？」という質問を1歳6カ月健診で受けることがあります。このおおもとには、生後早期の母親と児との触れ合いが関係してきますので、ぜひ分娩前にこのような触れ合いの大切さを伝えておきたいですね。

　ヒトにおいても、両親の接し方が児の脳にエピジェネティックな変化を与えるという報告があります。児童虐待の既往があって自殺したヒトの海馬の糖質コルチコイド受容体遺伝子のプロモーターのメチレーションパターンは、児童虐待がなく自殺をしたヒトのそれやコントロールのヒトと比べて異なるというものです[98]。ヒトにおいても、遺伝子発現のエピジェネティックな変化が、生後早期の母親と児の関係形成に関与していると推測されます。

　"母と子の絆"というとなんだか精神論みたいで嫌いだという方もいらっしゃるかもしれませんが、このようにエピジェネティックな手法で客観的なデータも示されてきています。今後さらに解き明かされていくであろう母と子の絆に、注目していただきたいと思います。これは母親が子育てにポジティブになれるかどうかにも関係してくると思われます。

● 夜も2～3回母乳を欲しがるのは当たり前

　赤ちゃんは夜も2～3回起きて、おっぱいを欲しがります。母乳は消化がよいので、すぐにお腹がすくのはふつうなのです。少し学問的に見てみると、赤ちゃんが飲んだ母乳が胃の中で半分になるのに47分しかかかりませんが、人工乳だと65分もかかるのです。このため、母乳で育つ赤ちゃんは人工乳で育つ赤ちゃんに比べて授乳間隔が短くなるのです。それが人間の赤ちゃんの自然な姿です。

　つまり、夜2～3回起きておっぱいを欲しがるのはおっぱいが足りないのではなく、人

Don't worry mam!
お母さんの心配事

修正月齢はいつまで使うの？

平成2年度厚生省心身障害研究「小児の神経・感覚器等の発達における諸問題に関する研究」には在胎30週未満、出生体重1,000g未満の児は3歳まで、在胎32週以降であれば1歳まで修正月齢を使うよう書かれています。現在も決まった定義はないので、もう少し拡大解釈して後期早産児は1歳まで、在胎34週未満の出生であれば3歳までと考えてよいのではないでしょうか。

間の赤ちゃんとしてごく当たり前のことなのです。

- **鼻づまりには立て抱っこ、鼻吸い器を。最終兵器は母乳を鼻の中に垂らして**

乾燥してくる冬場に退院していくときにぜひ伝えたいことは、鼻がつまったときの対処法です。部屋の湿度は50％はキープしたいです。

赤ちゃんは鼻がつまると苦しいので、泣くことも多くなります。泣くとさらに鼻がつまって、もっと機嫌が悪くなります。ですから、泣かないように抱っこをしてあげるとよいでしょう。また、鼻がつまっているときに立て抱っこをしてあげると、鼻のつまった音が聞こえなくなり、赤ちゃんの呼吸が楽になることもよくあります。

ズルズルとした鼻汁が多いのであれば、鼻吸い器を用意しておき、授乳の前に軽く吸ってみるように勧めるのもよいでしょう。鼻が

つまっているのに、塊になっていて吸えない場合には、少し母乳を搾って、スポイトで2～3滴、鼻の中に垂らしてあげましょう。みるみるうちに鼻が通ってくるのがわかります。

- **きつめにくるんで抱くと落ち着く**

授乳後もしばらくすると泣いてしまう赤ちゃんを前にして、母乳が足りないのかなと思う母親はよくいます。粉ミルクを足そうか迷ったら、今一度、母乳が飲み取れているサイン（p.58 表5-4）を確認するよう退院のときに念をおしてください。

それらが大丈夫であれば、すぐに足さずに抱き方を変えたり、バスタオルで少しきつめにくるんで抱っこしたりすると落ち着くことを伝えます。また、夜であれば、次の朝に一度赤ちゃんと一緒に病院に来てもらうよう伝えてください。昼間なら、そのまま外来で診察をすることもできるかもしれません。

多くの場合、母乳は足りているのですが、退院して1人で赤ちゃんの世話をしていると、何となく不安になってしまうことも多いのです。また、あれもこれも抱え込んで疲れてしまうと、本当に母乳の出が悪くなってしまうかもしれません。「適度に休むことも大切です」と伝えましょう。

4 後期早産児の退院診察とその後の健診

a 後期早産とは

- **後期早産児が増加している**

在胎34週0日から36週6日で出生した児を後期早産児と呼びます。

近年、わが国でも後期早産での分娩が全分娩に占める割合が増加しており、これに伴っ

授乳中の母親はストレスに強い?

　授乳中の母ラットは精神的・肉体的なストレスに対してHPA系の反応が低下していることがわかっていますが、これはヒトでも認められており、授乳中の女性にトレッドミルストレステストを行ってもACTH、コルチゾール、エピネフリンなどの反応は通常よりも低いのです[101]。母乳だけで育てている母親は、人工乳だけで育てている母親よりもストレスや怒りを訴えること、そして、うつ状態になることが少なく、よりポジティブに物事を捉えていました[102]。

　このような事象には何が関係しているのでしょう? 授乳中はエストロゲン濃度が低いので、視床下部室傍核からのコルチコトロピン分泌ホルモン（CRH）分泌が低下しています。さらに血液中のオキシトシンやプロラクチン濃度が高いため、HPA系を抑制しているのです。プロラクチン分泌はドーパミン活性を変化させて母性行動を誘発します。一方、オキシトシンは愛着ホルモンとも呼ばれ、母親の脳を刺激し、愛着行動を持続させる働きを持っています[103]。この結果、社会的愛着・人を信頼する気持ちを高めてくれるのです。

　直接授乳によるオキシトシンの分泌が脳内報酬系を刺激することで母性行動を引き起こすという報告もあります[104]。驚くべきことに、授乳中の仔ラットを母親から引き離すと、わずか1〜3日で母親ラットに認められていた上記のような変化は、元に戻ってしまうのです。母親と児がいつも一緒にいられる環境がどれほど母親と児ともに大切かわかっていただけますか?

て、NICUにおいて後期早産児が病床を占める割合が増加しています。それだけでなく、後期早産児は短期的・長期的な身体的・発達的なリスクが高いこと、不安を抱えて子育てをしている母親も少なくないことがわかってきました。

●予測されるリスクや問題点を伝える

　このため、以前はnear term infant（ほぼ成熟した児）と呼ばれていたのですが、このような表現は不適切であると認識されるようになったのです。そうはいっても、在胎35〜36週で出生した比較的元気な児は、小児科医が介入せずに産科施設を退院し、一般の乳児健診でみていくことは一般的です。そこで、乳児健診に関係する医療者の皆さんには後期早産児ではどのような問題点が予測されるのか、両親、特に母親はどのような思いで見ているのかを知っておいてほしいのです。

b 後期早産児に関係する問題点

●生後1〜2週間でチェックを

　後期早産児の産科施設入院中に問題となる低血糖、哺乳障害、呼吸障害などについては他書[99,100]に譲ります。

　退院時に両親に伝えたい情報として、生後1週間くらい（2週間健診でも可）で体重測定、

表5-8 早産児の生後数ヵ月の行動様式の特徴（正期産児と比較した場合）

- 覚醒時間が少ない。
- 覚醒時に敏感さ、応答性が弱い。
- 活動性が少ない反面、むずかりやすい。
- 睡眠～覚醒の周期が短い。
- 夜間、頻繁に目を覚ましてむずかる。
- 吸啜が弱く、したがって、頻回に栄養補給を要求する。
- 運動の自立機能（例えば支えがなくても座るなど）が遅延する。

[Gorski, PA. "Fostering family development following preterm hospitalzation". Pediatri Care of the ICN Graduate. Ballard, RA. ed. W. B. Saunders. 1988より]

黄疸のチェックを行います。2週間健診に来るのが難しい場合は、訪問看護師、保健師に依頼して、チェックしてもらうことが大切です。退院時に不安を抱えている母親は決して少なくなく、母親の育児不安に対しても傾聴することが大切です。

SGA（small for gestational age）であったり、多胎であるなど周産期のリスク因子がある場合や社会的な養育環境にリスクがある場合は、フォローアップの優先度を高めるようにしてください[105]。

● **修正月齢を用いることを伝える**

成長・発達の評価には、出産予定日から計算した月年齢、すなわち修正月齢を用いて評価します。これは両親にも伝えておくことが大切です。

c 退院後数カ月間に予測しておくこと

早産児では退院後6カ月くらいは、同じ月齢の正期産児と比べて、啼泣や睡眠パターンが異なります[106, 107]。

正期産児と比較した場合の、早産児の生後数カ月の行動様式の特徴を表5-8[108]に示します。

このような未熟性に基づく行動が見られる可能性があることを説明しておくと、わが子が異常ではないことを確認できるため、家族の不安を解消する一助となるでしょう。

d 長期的な観察の必要性

● **発達の遅れや障害を認めるデータも**

Morseらは就園前と幼稚園における発達評価を後期早産児と正期産児で比較しています[109]。その結果、後期早産児では正期産児と比べて発達の遅れや障害を認めることが36％も多いことがわかりました。アメリカにおける869名の低出生体重児の前方視的な調査では、8歳時でも顕著な行動異常を認めているという報告もあり、注意して健診を行う必要があります[110]。

● **神経発達をフォローする**

なぜこのような問題が生じるのか、神経発達の面から見てみましょう。

成熟新生児に比べて後期早産児の脳重量は約65～75％にとどまります[111]。つまり、残りの25～35％の成長は、予定日までの4～6週間が必要なのです。また、妊娠34週以降にDHA、EPA、コレステロールが胎児に移行し、それに伴って白質重量が約5倍となります。また、この時期に神経ネットワークが成熟していきます[112]。

対策として、母親に伝えたいことが3つあります（表5-9）。

赤ちゃんのストレスをとること、つまり、いつも一緒にいて泣かせないようにすることは、赤ちゃんの脳を育てていく上でも大切です。ラットの話を母親にするのは失礼かもしれませんが、母親ラットが仔ラットを舐めたり毛繕いをしたりすると、赤ちゃんラットは新しい事柄も避けないようになり、いろいろな環境に適応しやすくなると言われていま

表5-9 神経発達の面からお母さんに伝えたいこと（後期早産児の場合）

①母乳を与えることによって、お腹の中で渡せなかったDHA、EPA、コレステロールを与えます。
②予定日まではいつも赤ちゃんと一緒にいて、スキンシップをとってください。妊娠36週で生まれた赤ちゃんは、あと1カ月は母親のおなかにいて、いつもお母さんと一緒だったはずなのですから。
③予定日くらいまで、うまくおっぱいに吸いつけない児も珍しくありません。あせらず、児の空腹のサインに合わせて授乳してください。サインに気づかずにいると、寝てしまう児も散見されます。そっと刺激をして、起こしてから授乳するとともに、搾乳してコップやスプーンで補足することも必要かもしれません。

す[96]（p.59のコラム参照）。

e 後期早産児の退院後の感染症

●**気道感染を合併すると重症化しやすい**

幼児期早期の肺機能低下は成人まで影響することがわかっています[113]。後期早産児では生後も肺機能は劣っている可能性があり、気道感染を合併すると重症化しやすいと言われています。

●**パリビズマブ投与の情報提供を**

毎年、RSウイルス（respiratory syncytial virus）が流行し、乳児の入院の多くを占めています。RSウイルスに対するヒト化免疫グロブリン（パリビズマブ：シナジス®）はRSウイルス感染による重症化を予防する効果が示されており、在胎36週未満で出生した早産児に対しては保険適用もあります[注]。

ただし、流行期に生後6カ月以下であることが保険適用の条件であり、毎月1回パリビズマブの筋肉内投与を行うことになります。

在胎35週で出生し、体重も2,500g以上あるような場合には不要だろうと医療者が判断してしまうこともありがちですが、保険適用されていること、RSウイルスに対する認知度は高まっており、両親がインフォームド・チョイスを適切に行えるだけの情報提示は最低限の義務だと考えられます。RSウイルス感染により、人工呼吸器管理を必要としたり、場合によっては死の転帰をとったりすることもありますので、医療者は予防の可能性があることを認識しておく必要があると考えます。

注：パリビズマブの保険適用には、慢性肺疾患、先天性心疾患、免疫不全、ダウン症候群の児も含まれます。

【早産児】
- 母親のお腹にいた期間が28週以下で、RSウイルス流行開始時に12カ月齢以下の児
- 母親のお腹にいた期間が29〜35週で、RSウイルス流行開始時に6カ月齢以下の児

【慢性肺疾患】
過去6カ月以内に気管支肺胞異形成などの呼吸器疾患の治療を受けたことがあり、RSウイルス流行開始時に24カ月齢以下の児

【先天性心疾患】
- RSウイルス流行開始時に24カ月齢以下の先天性心疾患児で血行動態（心臓や血流）に異常がある子ども

＊2013年より下記の児も適用となりました。

【免疫不全を伴う児】
RSウイルス流行開始時に24カ月齢以下の免疫不全を伴う児

【ダウン症候群】
RSウイルス流行開始時に24カ月齢以下のダウン症候群の児

引用・参考文献

1) Kentner, AC., et al. Resilience priming: Translational models for understanding resiliency and adaptation to early life adversity. Dev Psychobiol. 61(3), 350-75.
2) 加藤則子ほか. 厚生省発育基準と比較した母乳栄養児の乳児期の発育曲線. 小児保健研究. 60(5), 2001, 680-9.
3) WHO. The WHO Child Growth Standards. http://www.who.int/childgrowth/standards/en/
4) Tuboly, S., Bernath, S. et al. Intestinal absorption of colostral lymphocytes in newborn lambs and their role in the development of immune status. Acta Vet Hung. 43(1), 1995, 105-15.
5) Campbell, DA. Jr., Lorber, MI. et al. Breast feeding and maternal-donor renal allografts. Possibly the original donor-specific transfusion. Transplantation. 37(4), 1984, 340-4.
6) Kois, WE. Campbell, DA. Jr., et al. Influence of breast feeding on subsequent reactivity to a related renal allograft. J Surg Res. 37(2), 1984, 89-93.
7) von Kries, V., Koletzko, B. et al. Breast feeding and obesity : cross sectional study. BMJ. 319, 1999, 147-50.
8) Richards, M., Hardy, R. et al. Long-term effects of breast-feeding in a national birth cohort : educational attainment and midlife cognitive function. Public Health Nutr. 5(5), 2002, 631-5.
9) Gothefors, L. Olling, S. et al. Breast feeding and biological properties of faecal E. Coli strains. Acta Paediatr Scand. 64, 1975, 807-12.
10) Chaturvedi, P. Warren, CD. et al. Survival of human milk oligosaccharides in the intestine of infants. Adv Exp Med Biol. 501, 2001, 315-23.
11) 川上義. "母乳の成分". 周産期の栄養と食事 新生児編. 周産期医学35巻増刊. 東京, 東京医学社, 2005, 608-9.
12) Mennella, JA., Forestell, CA. et al. Early milk feeding influences taste acceptance and liking during infancy. Am J Clin Nutr. 90, 2009, 780-8S.
13) Prentice, A., Addey, CVP. et al. Evidence for local feedback control of human milk secretion. Biochem Soc Trans. 17, 1989, 122.
14) Macias, C., Schweigert, FJ. Changes in the concentration of carotenoids, vitamin A, alpha-tocopherol and total lipids in human milk throughout early lactation. Ann Nutr Metab. 45, 2001, 82-5.
15) UNICEF/WHO. "母乳育児を支援するための具体的な方法". 母乳育児支援ガイドベーシックコース. BFHI2009翻訳編集委員会訳. 東京, 医学書院, 2009, 175-90.
16) 金森あかね. "吸啜に問題がある場合の援助". 第16回母乳育児学習会資料集. NPO法人日本ラクテーション・コンサルタント協会編. 2002. 63-71.
17) 水野克巳. NICUにおける母乳育児支援の実際 ①直接授乳支援. ネオネイタルケア. 22(7), 2009, 700-7.
18) Walker, M. Core Curriculum for Lactation Consultant Practice. Sudbury, Jone and Bartlett Publishers, 2002, 660p.
19) Belfort, MB., Rifas-Shiman, SL. et al. Infant growth and child cognition at 3 years of age. Pediatrics. 122, 2008, e689-95.
20) Corbett, SS., Drewett, RF. et al. The relationship between birthweight, weight gain in infancy, and educational attainment in childhood. Paediatr Perinatal Epidemiol. 21(1), 2007, 57-64.
21) Emond, AM., Blair PS. et al. Weight faltering in infancy and IQ levels at 8 years in the Avon Longitudinal Study of Parents and Children. Pediatrics. 120(4), 2007, e1051-8.
22) Lira, PIC., Eickmann, SH. et al. Early head growth : relation with IQ at 8 years and determinants in term infants of low and appropriate birthweight. Dev Med Child Neurol. 52, 2009, 40-6.
23) Gale, CR., O Callaghan, FJ. et al. Critical periods of brain growth and cognitive function in children. Brain. 127, 2004, 321-9.
24) Kramer, MS., Chalmers, B. et al. Promotion of Breastfeeding Intervention Trial (PROBIT) : a randomized trial in the

Republic of Belarus. JAMA. 285, 2001, 413-20.
25) Kramer, MS., Aboud, F. et al. Breastfeeding and child cognitive development. Arch Gen Psychiatry. 65, 2008, 578-84.
26) WHO. Evidence on the long-term effects of breastfeeding, systematic reviews and meta-analysis. 2007. http://whqlibdoc.who.int/publications/2007/9789241595230_eng.pdf
27) Mortensen, EL., Michaelsen, KF. et al. The association between duration of breastfeeding and adult intelligence. JAMA. 287, 2002, 2365-71.
28) Cuunane, SC., Crawford, MA. Survival of the fattest : fat babies were the key to evolution of the large human brain. Comparative Biochem and Physiol. 136, 2003, 17-26.
29) Isaacs EB, Fischl BR, Quinin BT, et al. Impact of breast milk on IQ, brain size and white matter development. Pediatr Res. 2009（Epub ahead of print）
30) Lauritzen, L., Hansen, HS. et al. The essentially of long chain n-3 fatty acids in relation to development and function of the brain and retina. Prog Lipid Res. 40, 2001, 1-94.
31) Xiang, M., Alfven, G. et al. Long-chain polyunsaturated fatty acids in human milk and brain growth during early infancy. Acta Paediatr. 89, 2000, 142-7.
32) Lauritzen, L., Hoppe, C. et al. Maternal fish oil supplementation in lactation and growth during the first 2.5 years of life. Pediatr Res. 58, 2005, 235-42.
33) Gainsford, T., Wilson, TA. et al. Leptin can induce proliferation, differentiation, and functional activation of hemopoetic cells. Proc Natl Acad Sci USA. 93, 1996, 14564-8.
34) Fantuzzi, G., Faggioni R. Leptin in the regulation of immunity, inflammation and hematopoiesis. J Leukoc Biol. 68, 2000, 437-46.
35) Walter, CD., Deschamps, S. et al. Mother to infant or infant to mother? Reciprocal regulation of responsiveness to stress in rodents and the implications for humans. J Psychiatry Neurosci. 29, 2004, 364-82.
36) Gomez, L., Carrascosa, A. et al. Leptin values in placental cord blood of human newborns with normal intrauterine growth after 30-42 weeks of gestation. Horm Res. 51, 1999, 10-4.
37) Trottier, G., Koski, KG. et al. Increased fat intake during lactation modifies hypothalamic-pituitary adrenal responsiveness in develping rat pups : a possible role for leptin. Endocrinology. 139, 1998, 3704-11.
38) Oshida, K., Shimizu, T. et al. Effects of dietary sphingomyelin on central nervous system myelination in developing rats. Pediatr Res. 53, 2003, 589-93.
39) 田中恭子. 母乳の神秘：未熟児の発達フォローアップから. 母乳哺育学会誌. 3, 2009, 95-102.
40) Saher, G., Brugger, B. et al. High Cholesterol level is essential for myelin membrane growth. Nat Neurosci. 8, 2005, 468-75.
41) Martin, RM., Smith, D. et al. Association between breast feeding and growth : the Boyd-Orr cohort study. Arch Dis Child Fetal Neonatal Ed. 87, 2002, F193-201.
42) Wadsworth, ME., Hardy, RJ. et al. Leg and trunk length at 43 years in relation to childhood health, diet and family circumstances ; evidence from the 1946 national birth cohort. Int J Epidemiol. 31, 2002, 383-90.
43) Victora, CG., Barros, E. et al. Anthropometry and body composition of 18 year old men according to duration of breast feeding : birth cohort study from Brazil. Br Med J. 327, 2003, 901-4.
44) Martin, RM., Holly, JMP. et al. Could associations between breastfeeding and insulin-like growth factors underlie associations of breastfeeding with adult chronic disease? The Avon Longitudinal Study of Parents and Children. Clin Endocrinol. 62, 2005, 728-37.
45) Berger, PK., et al. Human milk oligosaccharide 2'-fucosyllactose links feedings at 1 month to cognitive development at 24 months in infants of normal and overweight mothers. PLoS One. 15(2), 2020, e0228323.
46) Li, R., Rock, VJ. et al. Changes in public attitudes toward breastfeeding in the United States, 1999-2003. J Am Diet

Assoc. 107, 2007, 122-7.
47) Stuebe, AM., Schwarz, EB. The risks and benefits of infant feeding practices for women and their children. J Perinatol. 30, 2010, 155-62.
48) 武市洋美."人工・混合栄養からの母乳復帰".母乳育児支援スタンダード.日本ラクテーション・コンサルタント協会編.東京,医学書院,2007,295-300.
49) UNICEF/WHO."母乳の分泌".前掲書15.191-204.
50) 水野克己.母乳 育児 感染：赤ちゃんとお母さんのために.東京,南山堂,2008,152p.
51) 水野克己.母乳とくすり：あなたの疑問解決します.東京,南山堂,2009,112.
52) 水野克己監修.本郷寛子,瀬尾智子,水野紀子編著.これでナットク母乳育児.東京,へるす出版,2009,112.
53) The American Academy of Pediatrics Section on breastfeeding. Breastfeeding and the Use of Human Milk. Pediatrics. 115, 2012, 496.
54) Yorifuji, T., et al. Breastfeeding and Risk of Kawasaki Disease: A Nationwide Longitudinal Survey in Japan. Pediatrics. 137, 2016, e20153919.
55) van den Hooven, EH., et al. Associations of breast-feeding patterns and introduction of solid foods with childhood bone mass: The Generation R Study. Br J Nutr. 115(6), 2016, 1024-32.
56) Carter, SA., et al. Infant milk feeding and bone health in later life: findings from the Hertfordshire cohort study. Osteoporos Int. 31(4), 2020, 709-14.
57) Laubereau, B., Brockow, I. et al. Effect of breast-feeding on the development of atopic dermatitis during the first 3 years of life－results from the GINI-BIRTH cohort study. J Pediatr. 144, 2004, 602-7.
58) Penttila, IA. Milk-derived Transforming Growth Factor-β and the infant immune response. J Pediatr. 156, 2010, S21-5.
59) Bjorkstern, B., Sepp, E. et al. Allergy development and the intestinal microflora during the first year of life. J Allergy Clin Immunol. 108, 2001, 516-20.
60) Kalliomaki, M., Salminen, S. et al. Probiotics and prevention of atopic diease : 4-year follow-up of a randomized placebo-controlled trail. Lancet. 361, 2003, 1869-71.
61) Miles, EA., Clader, PC. Omega-6 and omega-3 polyunsaturated fatty acids and allergic diseases in infancy and childhood, Curr Pharm Des, 20, 2014, 946-53.
62) Hageman, JH., Hooyenga, P. et al. The impact of dietary long-chain polyunsaturated fatty acids on respiratory illness in infants and children. Curr Allergy Asthma Rep. 12, 2012, 564-73.
63) Calder, PC., Kremmyda, LS. et al. Is there a role for fatty acids in early life programming of the immune system. Proc Nutr Soc. 69, 2010, 373-80.
64) Alm, B., Aberg, N. et al. Early introduction of fish decreases the risk of eczema in infants. Arch Dis Child. 94, 2009, 11-5.
65) Anandan, C. Omega 3 and 6 oils for primary prevention of allergic disease : systematic review and meta-analysis. Allergy. 64, 2009, 840-8.
66) Kent, J., Mitoulas, LR. et al. Volume and frequency of breastfeedings and fat content of breast milk throughout the day. Pediatrics. 117, 2006, 387-95.
67) Kahn, A., Groswasser, J. et al. Sudden infant deaths : stress, arousal and SIDS. Early Hum Dev. 75, 2003, S147-66.
68) 白木和夫.B型肝炎ウイルス.周産期感染症ハンドブック.産婦人科の実際.55,2006,433-40.
69) Weimer J. The Economic Benefits of Breastfeeding : A Reivew and Analysis. Economic Research Service/USDA
70) 大戸斉ほか.ウイルス母子感染：母子間輸血現象からの機序と感染予防.日本新生児学会雑誌.39,2003,596-600.
71) 平成22年度厚生労働科学特別研究事業「ヒトT細胞白血病ウイルス-1型（HTLV-1）母子感染予防のための保健指導の標準化に関する研究」（主任研究者：森内浩幸）
72) 平成28年度厚生労働行政推進調査事業費補助金・成育疾患克服等次世代育成基盤研究事業「HTLV-1母子感染予防に関する研究：HTLV-1抗体陽性妊婦からの出生児のコホート研究」（研究代表者：板橋家頭夫）.「HTLV-1母子感染予防対策マ

ニュアル」．https://www.mhlw.go.jp/bunya/kodomo/boshi-hoken16/dl/06.pdf

73) Litonjua, AA., Gold, DR. Asthma and obesity : common early-life influences in the inception of disease. J Allergy Clin Immunol. 121, 2008, 121, 1075-84.

74) Paul, IM., Camera, L. et al. Relationship between infant weight gain and later asthma. Pediatr Allergy Immunol. 21, 2010, 82-9.

75) Koletzko, B., von Kries, R. et al. Lower protein in infant formula is associated with lower weight up to age 2 y : a randomized clinical trial. Am J Clin Nutr. 89, 2009, 1836-45.

76) Escribano, J., Luque, V., et al. et al. Effect of protein intake and weight gain velocity on body fat mass at 6 months of age : the EU Childhood Obesity Programme. Int J Obes (Lond). 36, 2012, 548-53.

77) Weberm, M., Grote, V. et al. Lower protein content in infant formula reduces BMI and obesity risk at school age : follow-up of a randomized trial. Am J Clin Nutr. 99, 2014, 1041-51.

78) Melnik, BC. Excessive Leucine-mTORC1-Signalling of Cow Milk-Based Infant Formula: The Missing Link to Understand Early Childhood Obesity. J Obes. 2012 : 197653. doi : 10.1155/2012/197653.

79) Mushaben, EM., Kramer, EL. et al. Rapamycin attenuates airway hyperreactivity, goblet cells, and IgE in experimental allergic asthma. J Immunol. 187, 2011, 5756-63.

80) Mushaben, EM., Brandt, EB. et al. Differential effects of rapamycin and dexamethasone in mouse models of established allergic asthma. PLoS One. 8, 2013, e54426.

81) Bruske, I., Flexeder, C. et al. Body mass index and the incidence of asthma in children. Curr Opin Allergy Clin Immunol. 14, 2014, 155-60.

82) Socha, P., Grote, V. et al. Milk protein intake, the metabolic-endocrine response, and growth in infancy : data from a randomized clinical trial. Am J Clin Nutr. 94, 2011, 1776-84.

83) Axelsson, IE., Ivarsson, SA. et al. Protein intake in early infancy: effects on plasma amino acid concentrations, insulin metabolism, and growth. Pediatr Res. 26, 1989, 614-7.

84) 日本小児科学会予防接種・感染症対策委員会．新型コロナウイルス感染症に関するQ&A（2020年8月1日現在）．http://www.jpeds.or.jp/uploads/files/20200827_corona_q_a.pdf

85) Fan H., et al. The effect of whey protein on viral infection and replication of SARS-CoA-2 and pangolin coronavirus in vitro. bioRxiv. https://doi.org/10.1101/2020.08.17.254979

86) American Academy of Pediatrics. Infant feeding in disasters and emergencies. Breastfeeding and oters options. 2020. https://downloads.aap.org/AAP/PDF/DisasterFactSheet6-2020.pdf#search=%27Infant+feedingin+disasters+and+emergencies%27

87) WHO/UNICEF. Baby-friendly Hospital Initiative. Section 2 : Strengthening and sustaining the Baby-Friendly Hospital Initiative. The Scientific Basis for the Ten Steps to Successful Breastfeeding. 2007, 45-6.

88) 日本小児内分泌学会性分化・副腎疾患委員会．Webtext：性分化疾患の診断と治療．2016年．http://jspe.umin.jp/medical/files/webtext_170104.pdf

89) AAP subcommittee on Hyperbilirubinemia. Management of Hyperbilirubinemia in the newborn infant 35 or more weeks of gestation. Pediatrics. 114, 2004, 297-316.（http://aappolicy.aappublications.org/cgi/content/full/pediatrics;114/1/297）

90) Gartner, LM. Breastfeeding and jaundice. J Perinatol. 21 (Suppl 1), 2001, S25-9.

91) Kumral, A., Ozkan, H. et al. Breast milk jaundice correlates with high levels of epidermal growth factor. Pediatr Res. 66, 2009, 218-21.

92) UNICEF/WHO．"母乳育児を支援するための具体的な方法"．前掲書15．175-90．

93) UNICEF/WHO．"母乳不足"．UNICEF/WHO母乳育児支援ガイド．日本ラクテーションコンサルタント協会訳．東京，医学書院，2003，64-71．

94) McEwen, BS., Stress, adaptation, and disease : Allostasis and sllostatic load. Ann N Y Acad Sci. 840, 1998, 33-44.

95) Francis, D., Diorio, J. et al. Nongenomic transmission across generations of maternal behavior and stress responses in the rat. Science. 286, 1999, 1155-8.

96) Cavigelli, SA., McClintock, MK. Fear of novelty in infant rats predicts adult corticosterone dynamics and an early death. Proc Natl Acad Sci USA. 100, 2003, 16131-6.

97) Meaney, MJ., Tannenbaum, B. et al. Early environmental programming hypothalamic-pituitary-adrenal responses to stress. Seminars in Neuroscience. 6, 1994, 247-59.

98) McGowan, PO., Sasaki, A. et al. Epigenetic regulation of the glucocorticoid receptor in human brain associates with childhood abuse. Nat Neurosci. 12, 2009, 342-8.

99) 特集：ちょっと早く生まれた赤ちゃんlate preterm infants．ペリネイタルケア．28(11)，2009，1075-107．

100) ネオネイタルケア編集部編．低出生体重児診療マニュアル：1,500～2,000gで生まれた少し小さめの赤ちゃんのキュアとケア．ネオネイタルケア秋季増刊．大阪，メディカ出版，2006，296p.

101) Altemus, M. et al. Suppression of hypothalamic-pituitary-adrenal axis responses to emotional and physical stress in lactating women. J Clin Endocrinol Metab. 80, 1995, 2954-9.

102) Groer, MW. Differences between exclusive breastfeeders, formula-feeders, and controls : a study of stress, mood, and endocrine variables. Biological Res Nur. 7, 2005, 106-17.

103) Febo, M., Numan, M. et al. Functional magnetic resonance imaging shows oxytocin activates brain regions associated with mother-pup bonding during suckling. J Neurosci. 25, 2005, 11637-44.

104) Numan, M. Maternal behaviors: central integration or independent parallel circuits? Theoretical comment on Popeski and Woodside (2004). Behav Neurosci. 118, 2004, 1469-72.

105) 三石知左子．退院後のフォローをどうするか？ 周産期医学．38(8)，2008，1015-8．

106) 河野由美．低出生体重児への育児支援．周産期医学．39(2)，2009，225-9．

107) Okochi M, et al. Assessments of the development of feeding function of low birth weight infants. Spec Care Dentist 162, 2004, 24.

108) Gorski, PA. "Fostering family development following preterm hospitalzation". Pediatri Care of the ICN Graduate. Ballard, RA. ed. Philadephia. W. B. Saunders. 1988, 27-32.

109) Morse, SB., Zheng, H. et al. Early school age outcomes of later preterm infants. Pediatrics. 123, 2009, e622-9.

110) Davidoff, MJ., Dias, T. et al. Changes in the gestational agedistribution among US singleton births : impact on rates of late preterm birth, 1992 to 2002. Semin Perinatol. 30, 2006, 8-15.

111) Kinney, HC. The near-term (late preterm) human brain and risk for periventricular leukomalacia : a review. Semin Perinatol. 30, 2006, 81-8.

112) Adams-Chapman, I. Neurodevelopental outcome of the late preterm infant. Clin Perinatol. 33, 2006, 947-64.

113) Stern, DA. et al. Poor airway function in early infancy and lung function by 22 years : a non-selective and longitudinal cohort study. Lancet. 370, 2007, 758-64.

第2部

キーエイジ別乳児健診マニュアル

2週間健診

1 2週間健診の意義

● 育児不安が増し、母乳育児率が低下するこの時期にこそフォローが必要

生まれてから1歳までに受ける一般的な健診には、1カ月健診、3～4カ月健診、6～7カ月健診、9～10カ月健診、そして1歳健診があります。子育て支援や母乳育児支援は退院後から継続していく必要があります。母乳育児率は1カ月で51.3％と、産科施設退院時より低下します[1]。このことからも、2週間健診を行い、母親の不安に応える必要のあることがわかると思います。

● 母親が前向きに子育てできるように

繰り返し述べていますが、健診の目的は赤ちゃんの診察だけではありません。母親が前向きに楽しんで子育てできることも、健康な子どもに育っていくために大切なことです。実際にお母さんたちが子育てや母乳育児に不安を感じることの多い時期にこそ、健診が必要なのではないでしょうか。

そうはいっても、現在、2週間健診ならびに2カ月健診（p.109）は自費で行われています（参考：山口県宇部市のように公費で2週間健診を行っている自治体もあります）。すべての赤ちゃんが受けるのは難しいのかもしれません。そこで、ここではどのような母親、赤ちゃんに2週間健診が重要となるのかを考えてみたいと思います。

● 1カ月健診までの空白を埋める

産科施設に入院中、赤ちゃんは体重を毎日測定し、必要に応じて低血糖や黄疸のチェックを受けています。加えてスタッフから母乳育児のサポートを受け、母親は母乳で育てるスタートをスタッフと共に切っていきます。しばしば母乳育児は自転車の乗り方に例えられますが、スタッフのサポートは自転車に付いている補助輪のようなもので、慣れるまでは必要なのです。自宅に帰ると、いきなり補助輪を取られてしまったように感じるかもしれません。

退院して1カ月健診まで3週間以上も診察の間をあけることで母親の不安、混乱、孤立を放置してしまうことにもなりかねません。特に、母親が産後うつ状態であると考えられる場合は、赤ちゃんの体重増加不良にもつながることが報告されています[2]。

2 2週間健診の実際

a 2週間健診が必要な母児と状況

● 希望者はすべて
それ以外にも必要な状況に応じて

2週間健診は、希望する母親すべてに行うことが望まれます。中でも、産科施設入院中の母親または赤ちゃんの状況や状態が表1-1に示す項目に該当するならば、1カ月健診ま

表1-1　2週間健診を勧めたい状況と状態

●母親側の因子
①出産前から把握できること
- 37歳以上の高年齢出産で、以前に母乳育児の経験がない女性
- 以前、乳腺の手術を行ったことがある女性
- 基礎疾患（糖尿病や心臓病など）がある女性
- 前児が母乳不足であった女性

②出産後の状況から把握すること
- 分娩後の出血や高血圧、感染など
- 産後うつ状態である場合

③実際に授乳をしてわかること
- 乳頭痛
- 扁平乳頭など乳頭の問題
- 過度の血乳
- 分娩後4日間たっても乳汁分泌が不十分な場合

●児側の因子
①出生時
- 早産児（一般の産科施設で扱うのは在胎35～37週）
- SGA児、または出生体重が2,700g以下の児
- 多胎、正期産の双胎や三胎
- 口腔の異常（口唇口蓋裂、小顎症、舌小帯短縮症など）がある。

②産科施設入院中に決定される。
- 光線療法を必要とする黄疸があった。
- 出生体重の7％を超える体重減少があった。
- 生後4日目で黄色い便がなかった。
- 筋緊張が低下している。
- 乳房に吸着しにくい、持続できない。
- 吸う力が弱い、または吸啜が持続しない。

③退院後に以下のような状況がある。
- 眠りがち、要求が少ない、哺乳の際に覚醒させなければならない。
- 易刺激性、怒りっぽい、授乳後も空腹を示す。
- まとまった便が出る回数が1日に4回未満
- 尿の回数が1日に6回未満

で待つのではなく、2週間健診を受けるように勧めましょう。

　もっとも、退院時も体重が減少していた児や、黄疸が強かった児ではもう少し早い受診（退院翌日～数日後）が必要かもしれません。これは、赤ちゃんの健康上のリスクを回避するためだけでなく、母乳育児を支援するためにも、とても有効です。2週間健診は必ずしも小児科医が行う必要はありません。母乳育児や新生児の看護の知識を十分に持っている医療者が担当し、必要に応じて小児科医にコンサルトするのでもよいでしょう。

●後期早産児は2週間健診を

　後期早産児（在胎34週0日～36週6日で出生した児）や、在胎週数に比べて小さく生まれた（small for gestational age；SGA）児では生後2週間に健診を行うことが望まれます（詳細はp.60参照）。

　後期早産児やSGA児では、飲んでいるように見えても飲み取れていないことや、空腹でもあまり泣かないことがあります。体重がきちんと増えているのか、脱水の徴候はないか、黄疸が増強していないか、などを確認しましょう。

　母親側からの必要性としても、後期早産での出産の場合、母親が子育てに不安を感じているケースも多いことがわかってきました[3]。母親の訴えに耳を傾け共感し、サポートしていくことを伝えます。乳房の痛みや母乳が足りないと感じていないか、授乳の回数と時間などを確認します。

　その後で、実際に授乳しているところを評価するのですが、これは助産師や看護師などで母乳育児に詳しい医療者にお願いしてもよいでしょう。体重の増加が思わしくない場合には、授乳前後で体重を測り、授乳量を計算

今すぐ使える 会話例

シーン❾ 抱っこしてジャンプした

「立て抱きのまま軽くジャンプしてしまいました。『揺さぶられっこ症候群』が心配です」

「今は元気そうですし、機嫌もいいですねえ。そのとき顔色はいかがでした？」

「特に変わりはありませんでした」

「しばらく、機嫌が悪いとかずっと寝たままということはなかったですか？」

「機嫌もいつも通りですし、遊んだりもしていました」

「それなら、心配ないでしょう。揺さぶられっこ症候群は、首のすわっていない乳児を強く揺さぶったことで、脳内出血や眼底出血を起こすことを言います。激しく出血した場合には直後から、顔色不良、不機嫌、嘔吐、無呼吸、痙攣などの症状が見られます。普通に揺れる程度なら大丈夫なので、極度に怖がる必要はありません」

表❶-2 2週間健診での診察項目

- 出生体重に戻っているか
- 一般的な診察（口腔内も含めて）
- 脱水の評価
- 黄疸の評価
- 授乳の評価
- 母親の乳房の診察
  （痛みや不快感があるとき）
- 哺乳量が不足している可能性があるなら、授乳前後で体重測定をして哺乳量を測定

人工乳のほうが母乳よりも優れていると誤って考える方もいるかもしれませんが、そうではありません。人工乳には後で加えているから多く含まれているだけのことなのです。

健診を担当する医療者は、子宮内でビタミンKが胎児に移行しにくいため、出血予防に大切なビタミンを与える必要があると伝えてください。そのときに、「人工乳では後から調味料のように足すことができるが、母乳ではそのような操作はしないために、週1回だけ加えているのです」と伝えてあげると母親も安心できるでしょう。

3　2週間健診で特に大切な母乳育児支援

a　2週間健診での確認事項

2週間健診では、表❶-3のことを確認しておきましょう。

実際に授乳している様子を評価することも大事な目的の一つです。退院時に搾母乳や人工乳を補足している場合には、補足の量や方法などが適切かどうか、この時期に評価しておくとよいでしょう。p.26 表❸-1、p.38 表❹-2に示した母乳産生を増やす方法を再度確認して、直接授乳だけで十分量飲めるようになるまでフォローすることが望まれます。

します。低出生体重児や早産児は、ビタミン剤や鉄剤の投与が必要な場合があり、1カ月健診後も小児科医のフォローが必要です。

b　2週間健診での診察事項

2週間健診では表❶-2に挙げた項目を診察します。

c　ビタミンKの投与

産科施設退院後、母乳で育っている赤ちゃんには週に1回、ビタミンKを投与する場合もあります。そう聞くと、母親によっては人

表1-3 母乳育児支援のために2週間健診で確認したいこと

- この24時間での授乳回数・尿や便回数
- 授乳のために起こさなければならないか
- 容易に吸着できるか
- 母乳以外のものを与えていないか
- 授乳に関してどのように感じているか
- 乳房に痛みや不快感はないか
- これまでの母乳育児の経験
- 家族は母乳育児についてどのように考えているか
- 母親が食生活に制限を設けていないか

● **食欲と成長のスパート期の存在を伝える**

2週間健診の担当者に知っておいてほしいのは、生後2～3週は食欲と成長のスパートの時期だということです。赤ちゃんの3人に1人は授乳中に食欲と成長の"スパート"を経験します。一般的なことであるにもかかわらず、心構えがないと、このスパートに母親は対応できず、母乳だけで育てていくことを断念してしまうこともあります。赤ちゃんはいつも空腹な様子を示し、授乳後も満足しないため、母親が母乳が足りないと考えてしまうからです。

このスパートのほとんどは生後3カ月以内に起こります。一般的には生後2～3週、6週、そして生後3カ月の頃に起こりやすいことを伝えておくと、母親も安心して母乳で育てることができるでしょう。

b 2週間健診で母親に伝えること

2週間健診では、母親に以下のことを伝えましょう。

- 児が欲しがるままに、欲しがるだけ授乳する。
- この時期の一般的な授乳パターン。
- 夜間であっても、授乳の間隔が長時間にならないようにする。
- 一般的な尿・便のパターン。

FAQ

揺さぶられっこ症候群にしないように気を付けることはありますか？

A 最近はAbusive Head Trauma（AHT）という名称が使われるようになりました。揺さぶり、揺さぶり後の直達外力、直達外力などが原因で起こる"虐待による頭部外傷"を意味します。泣きやまないからといって、体を前後に強く揺することはやめましょう。赤ちゃんが揺さぶられっこ症候群になってしまった方の原因を探ると、「泣きやまないから、イライラして、前後に繰り返し強く揺さぶってしまった」という事例が一番多いそうですよ。赤ちゃんにずっと泣かれると、お母さんもつらくなってしまいますよね。お母さんのイライラは赤ちゃんに移っていきます。イライラしてしまったら、深呼吸して窓を開けて空気を入れ換えたり、外を少し散歩したりして、お母さん自身の気分転換を試みてください。お母さんが落ち着いた頃、赤ちゃんがスヤスヤ眠っているというのもよく聞く話です。

また、チャイルドシートには月齢に合ったサイズのものを正しく装備し、長時間、車に乗らなくてはならないときは、1時間半～2時間ごとに休憩を取り、その際は、チャイルドシートから降ろしましょう。首のすわっていない赤ちゃんを長時間移動させる場合は、水平型のチャイルドシートが好ましいでしょう。

プラスワン 母子相互作用と愛着形成

　この時期、母親と児との繰り返す相互作用を通して、児はどのように行動すればよいのかを学習していきます。母親は児が母親の期待通りに行動したときに微笑む、さする、なでる、という愛情こもった行動に出るようになります。

　具体的には、母親が抱っこをして児の顔を見つめます。すると、児も母親の顔をぼんやりながらもじっと見てくるようになります。それによって、母親は微笑みながら声をかけながら見つめるという具合です。また、「母親が児を素肌に抱っこする⇒児は乳頭・乳輪に顔を向けていく⇒それを見て母親はそっと乳房をつまんで児が含みやすいようにする⇒児は大きく口をあけて乳頭・乳輪を含み吸啜を始める」という相互作用も見られます。

　この時期のすべての行動は、母親と児の愛着形成につながっていきます。このやりとりにより、"健康な"母親と児との関係を構築していき、将来の発達にプラスの作用を及ぼすのです[4]。もし、母親と児の愛着形成が不完全で、不適切なストレス反応が続けば、将来の健康を損なうことにもなってしまうのです。

- 母親自身のケアの重要性を強調する。
- おしゃぶりは母乳育児期間を短縮させるリスク要因となるので、使わない。
- 児が欲しがるサインに合わせて授乳する。また、児が自分から離すまで授乳を続ける。
- 生後2週間くらいでは1日に8〜12回の授乳が一般的で、午後〜夕方にかけては1時間ごとに欲しがることもしばしばある。
- この時期になると母乳産生はオートクリン・コントロール（需要と供給により調節されること。児が乳房から摂取した乳汁の量によって母乳産生が調節されるという仕組み）によって決まってくる。母乳をためないようにすることが大切で、夜間も4時間以上は間隔をあけない。
- 母親にストレスや疲労がたまると母乳分泌が低下するだけでなく、乳腺炎なども心配される。夜間の授乳もあるので、昼間も児が寝ているときは一緒に休むことが大切。

c 診察の終わりに伝えること

　2週間健診での診察の終わりには、以下のことを伝えておきます。

- 母乳だけでは足りない場合：補足を始める前に母乳産生量が不足している原因を見つけるために母乳育児の専門家に相談する。
- 母乳育児に関する問題が継続しているようであれば、母乳育児の専門家を紹介する。
- 適切なピアサポートグループ（ラ・レーチェ・リーグなど）を紹介することを伝える。
- 児を母乳で育てようとしたことに対して両親を称賛する。
- 母乳育児の利点のいくつかを再度確認する。
- 母親の必要量に見合うよう、きちんと食事と飲み物を取る。
- 児の体重増加が適切となり、母乳育児が順調になるまでは、フォローを定期的に行うことを伝える。

最近のあなたの気分をチェックしてみましょう。今日だけでなく、過去7日間にあなたが感じたことに最も近い答えに○をつけてください。
必ず10項目全部に答えてください。

1. 笑うことができたし、物事の面白い面もわかった
    - (0) いつもと同様にできた
    - (1) あまりできなかった
    - (2) 明らかにできなかった
    - (3) 全くできなかった
2. 物事を楽しみにして待った
    - (0) いつもと同様にできた
    - (1) あまりできなかった
    - (2) 明らかにできなかった
    - (3) ほとんどできなかった
3. 物事がうまくいかない時、自分を不必要に責めた
    - (0) いいえ、全くそうではなかった
    - (1) いいえ、あまり度々ではなかった
    - (2) はい、時々そうだった
    - (3) はい、たいていそうだった
4. はっきりした理由もないのに不安になったり、心配したりした
    - (0) いいえ、そうではなかった
    - (1) ほとんどそうではなかった
    - (2) はい、時々あった
    - (3) はい、しょっちゅうあった
5. はっきりした理由もないのに恐怖に襲われた
    - (0) いいえ、そうではなかった
    - (1) ほとんどそうではなかった
    - (2) はい、時々あった
    - (3) はい、しょっちゅうあった
6. することがたくさんあって大変だった
    - (0) いいえ、普段通りに対処した
    - (1) いいえ、たいていうまく対処した
    - (2) はい、いつものようにうまく対処できなかった
    - (3) はい、たいてい対処できなかった
7. 不幸せな気分なので、眠りにくかった
    - (0) いいえ、全くそうではなかった
    - (1) いいえ、あまり度々ではなかった
    - (2) はい、時々そうだった
    - (3) はい、ほとんどいつもそうだった
8. 悲しくなったり、惨めになったりした
    - (0) いいえ、全くそうではなかった
    - (1) いいえ、あまりたびたびではなかった
    - (2) はい、かなりしばしばそうだった
    - (3) はい、たいていそうだった
9. 不幸せな気分だったので泣いていた
    - (0) いいえ、全くそうではなかった
    - (1) ほんの時々あった
    - (2) はい、かなりしばしばそうだった
    - (3) はい、たいていそうだった
10. 自分自身を傷つけるという考えが浮かんできた
    - (0) 全くなかった
    - (1) めったになかった
    - (2) 時々そうだった
    - (3) はい、かなりしばしばそうだった

図1-1　エジンバラ産後うつ病自己評価票

＊母親に記入してもらうときにはタイトルは消す。

[Cox, JL. Perinatal Mental Health, 2003〔岡野禎治ほか訳「産後うつ病ガイドブック」〕より]

エジンバラ産後うつ自己評価票（EPDS）を活用しよう！[5]

EPDSは産後うつ病をスクリーニングするための自己記入式調査票です（図1-1）。EPDSによる産後うつ病疑いの区分点は、日本では岡野ら（1996年）のデータに基づき9点以上をうつ病疑いとしています。EPDSをもって産後うつ病と診断するものではありません。母親のいろいろな不安を出すきっかけとなります。また、点数の高い母親、項目10に点数がつく母親は注意してフォローすることが必要です。

●産後うつ病（図1-2）[6]

発症時期：出産後1〜2週から数カ月以内
頻度：10〜20％
症状：ほとんど毎日、2週間以上の持続（多くは産後1カ月以内の発症、出生後1年まで）

産後うつ病の母親の中には、自分の気持ちを訴える代わりに、赤ちゃんの健康や母乳に関する心配など育児に関連した不安を話題にすることもあります。「赤ちゃんに何の感情もわいてこない」と訴え、「自分は母親として資格がないのでは」といった表現で、過度の罪悪感を抱いていることもあります。

●EPDS9点以上の母親への対応

EPDSをその場で採点し、9点以上の母親は個別面談室に誘導します。9点以上であっても、点数による評価を母親には伝えません。あくまでも、母親の話を聞くための道具として使いましょう。

| 中核症状 | 抑うつ気分（気分が沈む・悲哀感）
興味・喜びの喪失（以前楽しめたことに興味がない） |

＋

| 身体症状 | 食欲（低下または増加）
睡眠（不眠または睡眠過多）
身体疲労（疲れやすさ・気力の減退）
→（産後の肥立ちと間違えられる） |

| 認知面の症状 | 罪悪感や無価値観
思考力や集中力の減退
死についての反復思考
→（感じ方や考え方も変化する） |

著しい苦痛や生活機能の障害

↓

産後うつ病の診断

図1-2 産後うつ病の診断のプロセス

EPDS9点以上の場合は、1点以上がついた質問項目について詳細に聞き取りを行います。

①質問1、2：興味、喜びの喪失の有無

EPDS9点以上の高得点者の中で、産後うつ病と精神科の診断がつく人は、ほとんどの場合、質問1と2で1点以上と回答しています。

②質問3〜6

産後うつ病でなくても、子育てに慣れておらず、多忙な時などに陽性点数をつけることがあります。うつ病の母親では、根拠なく自分を責めて、うまくいかない些細なことに悩みます。ここでは、「不必要に」「理由なく」かどうかを判断します。

③質問7：睡眠障害の有無

眠りにつくまでの時間、早朝覚醒があるか、眠っているが熟睡感が得られないのか、眠れないことで疲れているか、昼寝などができているかなどについて尋ねます。

④質問8、9：抑うつ気分の有無

どういう状況の時に、どのくらい続くのか尋ねます。はっきりした理由は、本人にもわからないけれども、1日の大半で、悲しくなったり、涙が出るのは、うつ病の母親が経験する抑うつ症状です。

⑤質問10：自殺念慮、自殺企図の有無

この質問に限り1点以上の回答があった場合、総合点がたとえ9点以下でも、内容を具体的に聞く必要があります。いつ、どんな状況だったか、その内容、実行したかどうか、支えとなる人がいるかを尋ねます。また、今後の援助方法を示し、自殺、自傷行為ははっきり止めることが重要となります。

⑥EPDSの内容以外の聞き取り

・日常生活および育児困難の程度
・育児支援環境・サポートの有無（夫婦関係や実母との関係、友人など）
・支援を必要と感じているか
・精神科または心療内科の受診歴の有無

【1】家事機能や育児機能への障害が見られず、心身の状態も比較的軽度の場合

　1）育児環境の改善方法の提案
　2）利用可能な地域の相談窓口の情報提供
　3）継続的に相談や支援が必要と判断した場合は、母親に同意を得た上で、保健センターの保健師に電話で連絡をとり、家庭訪問などの支援を依頼

【2】家事機能や育児機能への障害が見られ、不眠などの心身の状態も重度であると考えられる場合

精神科医療機関による薬物治療が必要であると考え受診を勧めます。

※EPDS高得点者の約1割が医療を必要とすると言われています（ほとんどの母親は地域での支援とケアにより回復する）。精神科受診経験がある場合、精神科受診に落ち着く

ことが多いです。

※偽陽性
・産後1カ月以内では、偽陽性が含まれている可能性がある。
・一因として、産後1～2週間で30%以上の母親に一過性に出現するマタニティーブルーズが影響していると考えられる。

　初産の母親のほうが経産婦よりもEPDSの点数が高いという報告もあります[5]。特に高年齢初産の女性に対しては、不安なこと、心配なことはないか確認しましょう。話をするだけで落ち着くこともありますよね。また言い出しやすい雰囲気づくりも心がけたいものです。

2週間 健診チェックリスト

計測
- ☐ 体重：　　　　　g（退院時からの体重増加　　　　　g/日）

問診表に記入してもらう項目
- ☐ 栄養方法：
  - ☐ 母乳のみ（授乳回数：1日　　　回）
  - ☐ 混合栄養（母乳　　回、人工乳：　　mL×　　回）
  - ☐ 人工乳のみ（　　mL×　　回）
- ☐ 便の回数：　　　回
- ☐ 便　の　色：便色カード（　　）番
- ☐ 尿の回数：　　　回

お母さんへの質問事項
- ☐ おっぱいはどんなタイミングであげていますか？
- ☐ おっぱいは痛くありませんか？
- ☐ 家族の方は子育てを助けてくれますか？
- ☐ なにかしんどいことはありませんか？
- ☐ うんちはたくさん出ますか？

医学的なチェック項目
- ☐ 大泉門：膨隆・平坦・陥没
  - 大きさ：　　　×　　　cm
- ☐ 眼　　位：正常・異常・疑い
- ☐ 頸部腫瘤（筋性斜頸を含む）：なし・あり
- ☐ 皮　　膚：異常なし・異常あり（　　　　　）
- ☐ 心雑音：なし・あり
- ☐ 腹部腫瘤：なし・あり
- ☐ 鼠径部（陰嚢含む）：異常なし・異常あり
- ☐ モロー反射：正常・異常・疑い
- ☐ 引き起こし反射：正常・異常・疑い
- ☐ 把握反射：正常・異常・疑い

2 1ヵ月健診

はじめに

　1ヵ月健診は、産科退院後初めての外出であることが多いものです。第1部①「乳児健診をはじめる前に」でも書きましたが、皆さんがドアをあけて母親と赤ちゃんを診察室に招き入れてください。冬なら「寒かったでしょう」、夏なら「暑い中、ようこそいらっしゃいました」など一言添えたいものですね。これだけでもお母さんとの距離はぐっと近くなるでしょう。

　父親や祖母と一緒に受診することも少なくありません。そのような場合は、家族みんなで診察室に入ってもらいましょう。得てして「赤ちゃんが泣くのは母乳が足りないからだ」という祖母や父親もいます。また、母親がいない間に泣いたら人工乳をあげる、という祖母も結構います。さらには、人工乳のほうが母乳よりも優れていると信じている祖父母もいるので、母親と赤ちゃんを取り巻く家族みんなに今の赤ちゃんの状況、今後気を付けておかなければならないこと、母乳育児のことなどを伝えることが大切なのです。

　前章の退院診察（p.51参照）のところでも書きましたが、まだまだ周りのサポートが大切な時期です。母親と児を取り巻く家族みんなに大切なことは伝えておきたいものです。

2 成長の評価

a 体重

● **体重増加のスタートラインはどこ？**

　1ヵ月健診で「生まれた時の体重より1kg増えないといけない」と思い込んでいる医療者は少なくありません。また、医療者によっては1日30g増えるのが正常だと思っていることもあります。どちらが正しいのでしょうか？　後者は正解からほど遠いとは言いませんが、答えはどちらも正しくありません。その理由を説明しましょう。

　すべての新生児は生まれたときの体重（出生体重）から、ある程度減ってから体重が増えてきます。これを「生理的体重減少」といいます。生理的体重減少は出生体重の7％以内（国際ラクテーション・コンサルタント協会：ILCA）や、10％以内（世界保健機関：WHO）と言われています。つまり、3,000gで生まれた赤ちゃんが210〜300gくらい減ることは決して異常ではないのです。すると、その新生児の体重増加のスタートは2,700〜2,790gとなりますね。ですから最も減ったときの体重から、その後どのくらい増えているかを見ていくことが大切になります。

● **1日当たりの体重増加はどれぐらい？**

　例を挙げながら説明しましょう。

　3,000gで生まれた新生児が日齢30で1ヵ

月健診に来ました。この児は日齢3に7％の体重減少を認めましたので、最低体重は2,790gです。もし1カ月健診で生まれたときより1kg増えるとしたら4,000g－2,790g（＝1,210g）を27日間で増やさなければなりません。1日の体重増加は約45gです。もし、この基準を達成できなければ栄養が不十分であり、人工乳が必要であるとするなら、ほとんどの母親は人工乳を補足しなければならなくなります。

　日本で人工乳ができたのは大正時代ですが、それまでも人類が滅びなかったわけですから、大きな間違いを母親に押し付けているとわかりますね。1日30gの増加という答えも、「最低体重から」という一言がほしいのです。この児では2,790g＋27日×30g＝3,600gとなります。この基準なら超えてくる児が多くなります。

● **母乳育ちの赤ちゃんの一般的な体重増加**

　では、代表的な母乳育児の実践書では、体重増加について、どのように書かれているのでしょうか？

　母乳だけで育っている新生児が出生体重に復帰するのはいつ頃か、という記述は以下のようになっていました。

①生後2週までに体重は出生体重に回復[7]
②頻回に授乳すれば生後2～3週までに戻る[8]
③日齢4までに増加傾向となり、日齢9までに戻る[9]
④生後10日～2週間以内に出生体重に戻る[10]

　これらから、日齢10くらいに戻ると考えるとよいでしょう。もう一度先の児に当てはめて考えると日齢10で3,000gです。日齢30で4,000gに至らずに栄養不良とすれば、20日間で1,000g＝1日50gの体重増加が必

表2-1 新生児の体重増加（まとめ）

- 生後5～10％の生理的体重減少
- 日齢4頃から体重が戻り始める。
- 生後2～3週までに出生体重に戻る。
- それからの体重増加は1日24g以上

要となり、やはりおかしいことがわかりますね。1日30gという答えを当てはめると3,000g＋20日×30g＝3,600gとなります。

　次に母乳だけで育っている児が出生体重に戻った後、どのように体重が増えていくのか、先ほども挙げた成書での記載を見てみましょう。

②1日に18～30g増加する[8]
③1日に20～35g増加する[9]
④1週間に170g（24g/日）増えるが、113～142g（16～20g/日）のこともある[10]

　以上のように記載されています。かなり幅があることがわかります。1日の体重増加が24g平均というラインはすべての記載をクリアしますので、まずこの値を覚えておくとよいでしょう。体重増加について表2-1にまとめます。

● **体重増加が少なめなときの対応**

　ただし、1日の体重増加が平均20gだったとしても、「すぐに人工乳を足す」という言動には結び付けないようにしてください。まず行うことは、授乳の様子を観察し、適切でないところがあればわかりやすく説明して、適切な形に変えていくことです。適切な抱き方・含ませ方といっても慣れなければよくわからないかもしれません。母乳育児に詳しい小児科医や助産師・看護師と一緒に観察しながら覚えていくことも大切です。

　そして、授乳回数はどうか、時間はどうか、児が満足するまで同じ側の乳房から与えてい

Don't worry mam!
お母さんの心配事

おっぱいをよく吐きます

　赤ちゃんの胃には、大人の胃と違うところが2つあります。1つめは胃から食道に戻りやすいことです。2つめは、胃袋がねじれており、袋が2つあるような状態であることです。下の袋までいけば吐かないのですが、上の袋にある母乳やミルクは簡単に胃袋から食道に戻ってきます。赤ちゃんが吐きやすい場合、立て抱っこをしてあげると、上の袋から下の袋に流れやすくなりますし、泣いておなかに力が入ることも減ります。それからできるだけ母乳をあげてください。母乳は粉ミルクよりも早く胃袋から腸に流れていきますので、吐きにくくなります。

　もっとも母乳がのどまで戻ってくることは、悪いことばかりではありません。母乳には免疫物質がたくさん含まれており、のどの奥に母乳が行ったり来たりすることで、のどからばい菌が侵入するのを防いでくれます。母乳が細胞の上を覆っていると、細胞の中にウイルスが入ってこられなくなるのです。とても効率のよい"うがい"をしているとも言えるでしょう。

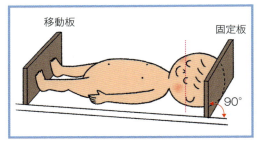

図2-1　身長測定の方法

るかなどです。そのような情報は経験はなくても評価できますね。次に大切なことは、その母親と児をフォローしていくことです。自分が伝えたことで母親の授乳がどのように変わったか、児の体重増加はどうなったか、何らかの介入を行った後は、必ずそれに対する評価を行うことが大切です。

　さて、また算数の時間です。はじめに例として出した赤ちゃんは、1カ月健診でどれくらいの体重なら「体重もしっかり増えていますね！　母乳でよく育っていますよ」と言えるのでしょう？

　3,000g＋20日×24g＝3,480gとなります。なんと出生体重から500gも増えていません。ただし、1日24gの体重増加はあくまでも最低ラインだと理解してください。24gだからこのままでよい、というわけではないのです。前述したように授乳の様子を観察し、授乳回数、時間などは確認しておく必要があります。産後1カ月というのは母乳産生がまだ増える時期でもあります。そのときに適切な授乳方法を伝えておくことで、もっと体重も増えていくことでしょう。

　個人的には、35g以上の体重増加があれば、あまり授乳のことを口出ししません。それ以下の体重増加であれば、授乳に関していくつか変更できる点を見つける努力をしています。

● **栄養不良と認めた場合に行う検査**
- 貧血：血算（血液像・網赤血球も）、鉄
- 黄疸と肝機能：AST/ALT、総ビリルビン、直接ビリルビン
- 感染：尿一般、CRP

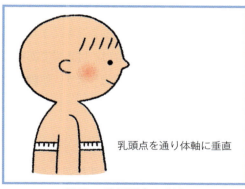

図2-2 胸囲測定の方法

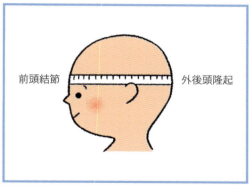

図2-3 頭囲測定の方法

- 代謝異常：タンデムマス、TSH、fT_3、fT_4
- 栄養状態：総タンパク質、アルブミン、プレアルブミン、レチノール結合蛋白、トランスフェリン、中性脂肪、コレステロール、血糖値、TIBC
- 脱水・腎機能：BUN、Cre、Na、K、Cl
- 便検査：クリニテスト、脂肪

b 身　長

正確な身長測定の方法を示します。

出生から2歳までは、平らな表面に児を仰臥位に寝かせて、測定板に対して頭をしっかり保持します。膝をやさしく床の方向に押さえて、足を伸ばしましょう。足底は測定機器の移動板につけます（図2-1）。2～3歳でも、正確な評価のためには、同様に測定します。

c 胸　囲

胸囲は乳頭の高さで測定します（図2-2）。生後6カ月までの間は、頭囲のほうが胸囲より2cmほど大きいのが一般的です。生後6カ月から2歳の間は、頭囲と胸囲がほぼ等しくなります。成長に伴って、2歳以降は胸囲のほうが頭囲よりも大きくなってきます。

d 頭　囲

頭囲測定は、2歳までの成長評価の主要な位置を占めます。正しく一定の位置で測定することが成長と発達を評価する上で重要なのは、言うまでもありません。具体的には、外後頭隆起から前頭の突出した部分を通る径を測定します（図2-3）。もし頭囲の発育曲線に当てはめておかしいと思うのであれば、再度、測定を行いましょう。健診のたびに測定した値を成長曲線にプロットしていきます。

頭囲が体重や身長と比べて著しくバランスが悪い場合や、年齢相当の値から95パーセンタイル以上、または、5パーセンタイル未満の場合は原因検索を行います。小頭症は子宮内での発育不全や頭蓋骨早期癒合症などを考えます。逆に、頭囲があまり変わっていない場合、体重増加はどうか、骨重合はどうか、確認しておきましょう。

巨頭症は体と比べてアンバランスであり、頭蓋内圧亢進を示す可能性があります。頭囲拡大がある場合は、大泉門を注意して触れます。超音波検査がすぐ実施できるのであれば、水頭症がないか確認しておきたいところです。

2 神経学的な評価

a 粗大運動

赤ちゃんは起きているとき、仰向けで手足

をよく動かします。引き起こし反射では、頭を背屈して上肢は伸展し、下肢はそのままの状態をとります（図2-4）。頭が極端に背屈したり、肘関節が完全に伸展するような姿勢は、筋トーヌスの低下を考えます。その逆に、身体が棒のように立ってしまう場合は、筋トーヌスの亢進を考えます。

腹部を支えて水平位にしたときの姿勢は、頭・体幹を軽度に屈曲していながら頭を少し持ち上げようとし、四肢は屈曲位となります（図2-5）。上肢・下肢がだらんと落ちてしまうようなら筋緊張低下があると考えます。

モロー反射が見られなければ異常であり、左右対称であることも確認します（図2-6）。

b チェックすべき項目

- 音・光への反応が良好か。
- 目が合う気がするか。
- 姿勢、四肢を元気に動かすか。
- 心雑音の有無
- 原始反射・引き起こし反射・把握反射

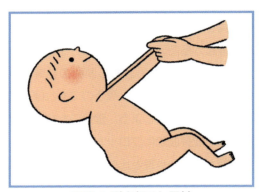

図2-4 引き起こし反射

仰臥位の状態で児の手掌の尺側から母指を入れ、把握反射を起こしながら引き起こす。45°で上肢は伸展、頭部は背屈したまま後方に、下肢は反屈位のまま軽く外転する。90°で頭部は垂直位、あるいは軽く前屈する。

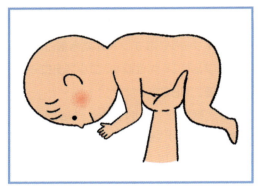

図2-5 腹部を支えての水平位

児の腹部を支え、水平に持ち上げる。頭部と体幹は軽度屈曲して頭部を持ち上げようとし、四肢は屈曲位をとる。

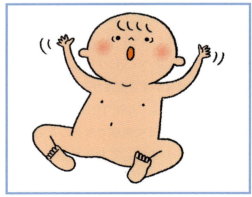

図2-6 モロー反射

左手で児の背部から後頭部を支えて、上肢が45°くらいになるようにする。そして、落ち着いた状態で手首を素早く背屈する。すると、児は両手で抱きつくような動きを示す。左右対称に見られることを確認する。

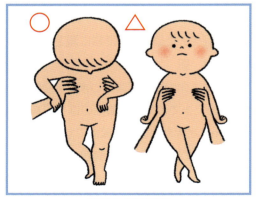

図2-7 垂直懸垂

児の体幹側部を手掌で挟んで垂直に持ち上げる。腋窩で体幹が支えられ、両下肢は軽い屈曲位となる。両下肢が伸展、交叉、内旋、尖足位となっていないかを確認する。

- 尿の回数、便の回数・便の色（先天性胆道閉鎖症のチェック）
- 皮膚、小さな形態異常など外観のチェック
- 先天性代謝疾患スクリーニング検査のチェック
- 腹部腫瘤（肝臓腫大・水腎症など）
- 垂直懸垂⇒尖足にならないことを確認（図2-7）：もし尖足になるなら4カ月時に必ず確認してもらう。

3 しばしば見られる所見

a 鵞口瘡

カンジダ感染により、舌や頬粘膜に白苔が付着します（図2-8）。舌圧子で剥がそうとしても取れません。これを見たら、おむつ皮膚炎（乳児寄生菌性紅斑）がないか確認します（図2-9）。もう一つ忘れてはならないのは、母親の乳頭に痛みがないかの確認です（図2-10）。カンジダ感染の治療は、児と母親一緒に行うことが大切です。

b 苺状血管腫（図2-11・図2-12）

1カ月健診のときには退院時よりも大きくなっていることが多いので、しばしば母親は心配します。まだ数カ月は大きくなりますが、1歳くらいまでには小さくなり始め、色も薄くなっていきます。小学校に入る頃には消えてしまうことがほとんどです。

c 単純性血管腫

表面が隆起せず、出生時より認められることが多いです。前額部正中、上眼瞼、眉間にある境界不鮮明の淡紅色のものはサーモン・パッチと呼ばれ、1～2歳で消退することが多いです（図2-13）。項部～後頭部に見られるウンナ母斑は消退しないことが多いのですが、あまり目立たなくなります（図2-14）。

d 蒙古斑

通常は仙骨部に見られ、4歳くらいまでに

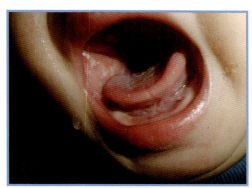

図2-8 鵞口瘡

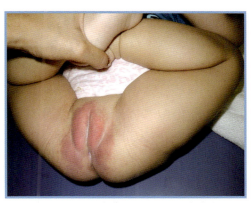

図2-9 カンジダによるおむつ皮膚炎

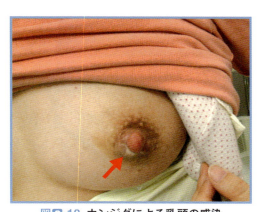

図2-10 カンジダによる乳頭の感染

矢印の箇所に白い苔様のものが付着している。

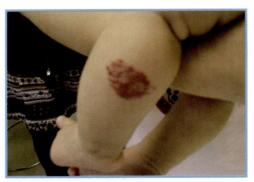

図2-11 苺状血管腫（足）

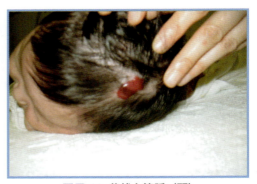

図2-12 苺状血管腫（頭）

図2-13 サーモン・パッチ

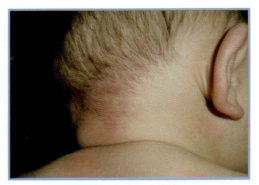

図2-14 ウンナ母斑

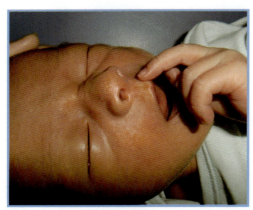

図2-15 稗粒腫

消えてくることが多いので、様子を見るよう伝えます。異所性の蒙古斑は消えないこともあることを伝えます。

e 稗粒腫

鼻の頭などに見られる白い小丘疹です（図2-15）。脂肪が詰まってできることもあります。乳児期では、自然に治ることがほとんどです。

f 乳児脂漏性湿疹（図2-16・図2-17）

冬場は乾燥を防ぐように伝えます。部屋は加湿し、入浴後は保湿剤を使用します。顔には石鹸を使わない母親も散見されますが、手のひらでよく泡立て、顔も洗います。ガーゼなどで無理にこすらないように伝えましょう。

頭頂部や前頭部に厚い痂皮形成が見られる場合は、脂漏性の鱗屑、痂皮をオリーブオイル、ベビーオイルなどで浸軟させて除去した後に、マイルド群ステロイド外用薬（ロコイド®軟膏など）を短期間塗布するとよいでしょう。有髪部は、ヒルドイド®ローションをすり込むとよいです。ひどい場合はステロイド含有ローション（リドメックスコーワ

図2-16 乳児脂漏性湿疹（頭）

図2-17 乳児脂漏性湿疹（顔）

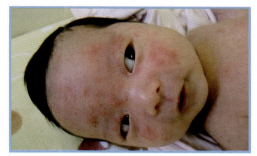

図2-18 新生児ざ瘡

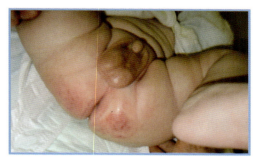

図2-19 おむつ皮膚炎

ローションなど）を用います。

g 汗疹（汗腺の閉塞による湿疹様皮膚炎）

部屋の温度や湿度が適切かどうか確認しましょう。暖房を使うことも多いので、冬でも見られます。

h 新生児ざ瘡

生後2週間頃から出てきます。男児に多い傾向があり、頬や額に面皰、丘疹、膿疱が見られることが多いです（図2-18）。体幹部に見られることはあまりありません。通常、2〜3カ月で自然に治ってきます。

i おむつ皮膚炎

便や尿の分解物によって起こる接触性皮膚炎です（図2-19）。ですから、便、尿がおむつ内にとどまる時間を短縮する、つまり、まめにおむつを取り替えることが大切です。便、尿とも拭き取るだけでなく、できれば洗い流して清潔にして、よく乾かしてからおむつをするよう伝えましょう。石鹸で洗うのは1日1回で、低刺激性の石鹸を使います。

流した後は、乾いた柔らかい布で押さえる程度に水分を取ります。それ以外のときは、微温湯か水で搾った柔らかいタオル、ガーゼ、脱脂綿を用いて、おむつが当たる皮膚全体をやさしく拭くように伝えます。市販のおしり拭きはあまり使わないようにしましょう。

なお、清潔にした後に油脂性軟膏（白色ワセリンなど）を塗布します。これによって角層に加わる機械的刺激から保護し、また、角層外部から尿や便の成分が浸透するのを防ぎます。ベビーオイルでは効果が劣ります。

治療としては、軽い紅斑だけであれば、亜鉛華軟膏をおむつ交換のたびに薄く塗布します。強度の浮腫性紅斑やびらんが見られるときは、非ステロイド外用薬（アズノール®軟

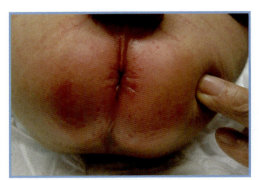
図❷-20 肛囲皮膚炎

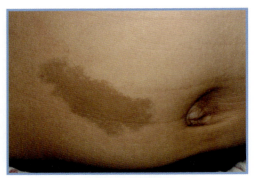
図❷-21 扁平母斑
（昭和大学医学部形成外科・土佐泰祥先生より提供）

膏）、副腎皮質ステロイド外用薬（ロコイド®軟膏）を1日に数回塗布します。その上に、亜鉛華軟膏を重層すると効果的です。

j 乳児寄生菌性紅斑

これはCandida albicansによる皮膚感染症です（図❷-9）。おむつ皮膚炎との見分けが大切になります。乳児寄生菌性紅斑では、おむつ皮膚炎よりも凸部以外のしわの中にも強い紅斑が見られ、紅斑辺縁部は特徴的な"レース状"を示し、小さな鱗屑や粃糠疹を伴います。その周辺部にも小膿疱や小紅色丘疹がたくさん見られ、これがあると診断はほぼ確定です。

k 肛囲皮膚炎

肛門から少し離れた左右臀部に生ずる紅斑、びらんで、おむつ皮膚炎とは別に扱います（図❷-20）。アズノール軟膏®を塗布します。

l 肛門周囲膿瘍

罹患するのはほとんどが男児です。場所は3時か9時の部位で、治療は小切開による排膿になります。抗菌薬を投与後24時間経過してから切開を行うことが多いので、抗菌薬を処方した翌日に小児外科を受診するよう伝えるとよいでしょう。慢性期になると乳児痔瘻となりますが、1歳くらいにはだいたい自然治癒します。

m 扁平母斑

淡褐色〜濃褐色の色素斑です（図❷-21）。有毛性のものをベッカー母斑と呼びます。皮膚科または形成外科を紹介します。

n 有毛性母斑（獣皮性母斑）

躯幹、四肢あるいは顔面の広範囲を占めるもので、出生直後は母斑だけでも、2歳頃から有毛性となりやすいのが特徴です（図❷-22・図❷-23）。皮膚科または形成外科を紹介します。レーザー治療は行いません。

o 臍肉芽腫

基本処置は絹糸での結紮です。結紮できない場合はステロイド軟膏を塗布したり硝酸銀で焼灼します。リンデロンを1日2〜3回塗布します（図❷-24）。

p 臍帯脱落遅延

臍帯脱落まで2週間を超えると異常の可能性を考えます。3週間を超えると異常です。好中球数増多を伴う場合は白血球接着不全症を疑います。

q 乳房腫大

生後早期から腫脹が見られ、1カ月健診でも明らかに腫脹していることがあります（図❷-25）。心配する両親もしばしばいます。母

図2-22 有毛性母斑①
（昭和大学医学部形成外科・土佐泰祥先生より提供）

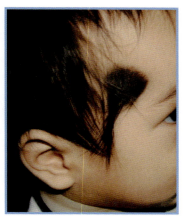

図2-23 有毛性母斑②
（昭和大学医学部形成外科・土佐泰祥先生より提供）

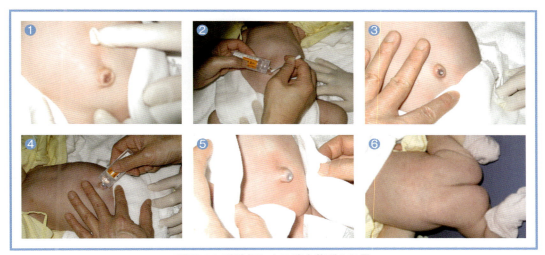

図2-24 硝酸銀による臍肉芽腫の処置

まず、ガーゼで臍の周囲を覆い、硝酸銀を含んだ液体が周囲に流れないようにします（❶）。生理食塩水を臍肉芽に滴下しながら硝酸銀棒を押し当て、臍肉芽を焼きます（❷）。数回行って、肉芽が白く変色したら終了です（❸）。この後、臍周囲を生理食塩水できれいに流し（❹）、ガーゼで拭き取ります（❺）。このとき、化学反応を起こした硝酸銀液が周りの皮膚に付かないように新しいガーゼを使います。最後に、流れた硝酸銀が付着していないか、背中を母親と一緒に確認します（❻）。念のために、背中を生理食塩水で洗い、完了です。大切なことは、臍以外の部位に硝酸銀が流れて皮膚の炎症を起こさないことです。

親からもらったホルモンの影響によるものであり、心配いらないことを伝えるとよいでしょう。

r 乳頭の白い隆起

数カ月もすれば取れるので、様子を見るよう伝えます（図2-26）。

s 巻き爪

爪を切るときは、横に切ってあげるように伝えましょう。食い込んで化膿したときには、抗菌薬の軟膏を処方します。これから爪の形は変わってくるので、この時期はあまり心配しないように伝えるのも大切でしょう。

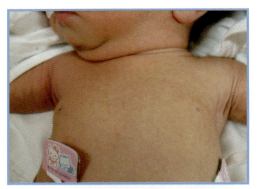

図2-25 乳房腫大

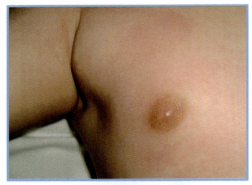

図2-26 乳頭の白い隆起

t 逆さまつげ

まつげが正常と逆に、目のほうに生えています。赤ちゃんのときは、これによって目を傷つけたりすることはありません。自然に治ることも多いので、角膜障害が強くない限り、様子を見てもよいでしょう。4歳頃まで経過を見て、治らない場合は手術を行います。

u 先天性鼻涙管閉塞

生後3カ月以内に治療を行うと治りやすいので、1カ月健診でアドバイスしましょう。内眼部下方、眼窩下縁を人差し指で圧迫するように10回程度、1日に3〜4回マッサージすることを伝え、眼脂が多いようなら抗菌薬を点眼します。1〜2週間行っても涙眼が改善しない場合は、眼科を紹介します。

v 上皮真珠

乳児の歯槽堤粘膜、口蓋正中部粘膜に見られる真珠様小腫瘤です。自然に治ります。

w リガ・フェーデ病

生まれたときから下顎乳中切歯が生えており、この先天歯の刺激により舌の下面にリガ・フェーデ病と呼ばれる潰瘍ができることがあります（図2-27）。先天歯の先端に歯科治療に使うレジンの塊をつけて刺激を軽減することで潰瘍が治ります。小児歯科を紹介

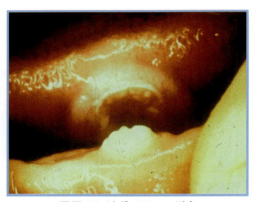

図2-27 リガ・フェーデ病
（昭和大学小児歯科提供）

します。

x 斜 頸

体幹に対して頸部、頭部が側屈する状態を斜頸といいます。筋性斜頸が主です。片側の胸鎖乳突筋の短縮により、患側に頭を傾け、顔が健側を向く姿勢をとります。胸鎖乳突筋に腫瘤が存在しており、生後2〜3週に最も明らかになります。ただ、9割方は数カ月で腫瘤は消失し、斜頸も良くなっていきます。1カ月健診では整形外科を受診することを伝えます。

y 向きぐせ

斜頸とは違って腫瘤を触れることはなく、寝ているときに同じ方向ばかりに顔が向きま

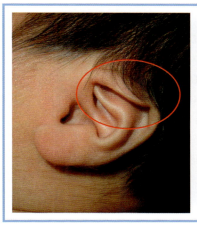
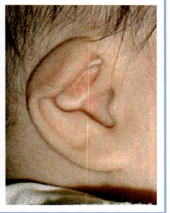

図2-28 折れ耳

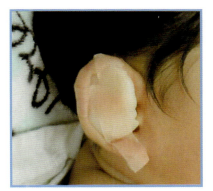

図2-29 折れ耳の治療

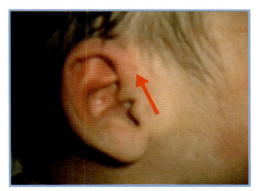

図2-30 耳瘻孔

す。1カ月健診での注意点は、放置していると頭の形が変形すること、いつも下にしている側の耳が浸潤してくることです。明るい側を普段向かない方にして、いつも向いている方向は壁にするなど対処します。また、耳や頭部が床から常に圧を受けないように、タオルなどを使って隙間を作るようにしましょう。

4 しばしば見られる小さな形態異常

a 折れ耳（絞扼耳）

耳の中ほどで、前方に折れ込んだ耳の形をしています（図2-28）。耳介の発育不全がなければ、早期に形成外科に紹介すると、手術をしなくてもよくなることもあります（図2-29）。

b 埋没耳

耳の付け根が一部側頭骨に埋まり込んでいて、指で引っ張ると容易に引き出すことができるのですが、指を離すと元どおりになります。生後3カ月以内であれば矯正で良くなることも多いので、形成外科を紹介します。

c 副耳

副耳の下には軟骨がある場合が多いので、手術が必要となることが一般的です。

d 耳瘻孔

耳の前方や付け根に袋があって、悪臭を伴

FAQ

舌小帯短縮で処置が必要なのはどのような場合でしょうか？

A 分娩施設入院中に抱き方・含ませ方をどのように直しても激しい乳頭痛がある場合や、母乳分泌は良いのに児が飲み取れない場合です。ですので、産科施設を退院するまでに判断します。1カ月健診まで母乳のみで育っているなら、一般的には処置は不要でしょう。

予防接種は本当に必要なのでしょうか？ 副反応も心配です。

A 現在、日本で使用しているワクチンは、副反応の頻度も少なくなっています。つまり、予防することで得られるメリットのほうが、極めて稀に起こる重大な副反応のリスクよりも勝ると考えられます。また、「一度感染したほうがしっかりと免疫がつく」という考え方もあるかもしれません。しかし、予防ワクチンが開発されている感染症はいずれも、実際にかかると、赤ちゃんの命を脅かしたり、後遺症を残す可能性があることも忘れてはいけません。

う分泌物を認めることがあります（図2-30）。炎症を繰り返すようであれば、袋ごと手術で取り除くことを伝えます。

e 舌小帯短縮

舌小帯短縮症とは、舌小帯の付着異常によって舌の運動障害を伴うものです（図2-31）。この程度はさまざまで、舌が口の底に完全にくっついて舌が動かないタイプから、舌を出すと先端がハート型になるタイプなどあります。図2-32のように3歳になっても舌を前に出すとハート型になりますが、滑舌よくおしゃべりできるケースもあります。お母さんも気にしていません。

舌の動きに制限がなければ哺乳に差し支えないことも多いのですが、舌の動きが悪くなると舌小帯を切り離す処置が必要なこともあります。

一般的に、多くの舌小帯短縮の子どもたちは、哺乳障害を伴わずに成長します。出生早期に舌がハート型をしていても、時間がたつにつれて、小帯が伸展し、症状が改善してくることもしばしばです。ただし、乳児期早期の体重増加不良や乳頭痛の原因となるため、診察のときには舌小帯も確認しましょう。

図2-31 舌小帯短縮（2カ月）

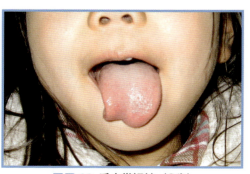

図2-32 舌小帯短縮（3歳）

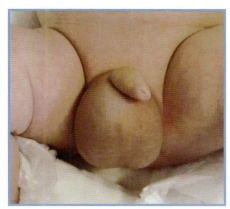

図2-33 陰嚢水腫

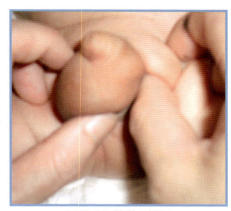

図2-34 精巣の触知

舌小帯が短かったり、舌の運動制限がある場合には、授乳の様子を観察して、適切な抱き方・含ませ方であるかを注意して観察してください。児が良好に飲み取れており、母親も乳頭痛などを訴えない場合は、そのまま経過を見てよいでしょう。いったん乳房から直接うまく授乳できるようになっていれば、通常、途中からうまくいかなくなることはありません。母親は、授乳のトラブルは「すべて舌小帯が短いためだ」と、手術効果を強く期待したり、直接授乳自体をあきらめてしまうこともあります。困ったら母乳育児の専門家に相談してください。

f 陰嚢水腫

1カ月健診ではよく見られますが、3〜4カ月健診では大体消失するので、経過を見てもらうよう伝えます（図2-33・図2-34）。一応、鼠径ヘルニアに注意するように伝えておくとよいでしょう。

g 陰唇癒合と癒着

小陰唇が癒合しています（図2-35）。さほど稀なものではないのですが、見落とされることが多いので、1カ月健診で診る習慣を付けておくとよいでしょう。癒合している場合は手

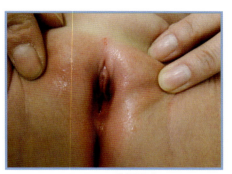

図2-35 陰唇癒合

で陰唇を両側に引っ張ります。ほとんどの場合、この方法で剥離できます。その後、ステロイド軟膏を塗布するという考えもあります。

5 予防接種のプランを立てよう！

a 2カ月になったら予防接種

生後2カ月にはヒブワクチン、肺炎球菌ワクチン、B型肝炎ワクチン、そしてロタウイルスワクチン、四種混合ワクチン（2023年4月から）が加わります。

同時に複数のワクチンを接種しても、1本ずつ接種しても、それぞれのワクチンの安全性や効果に差はありません。感染を予防するために、できるだけ早く効率よく予防接種ができるように一緒に考えてあげてください。

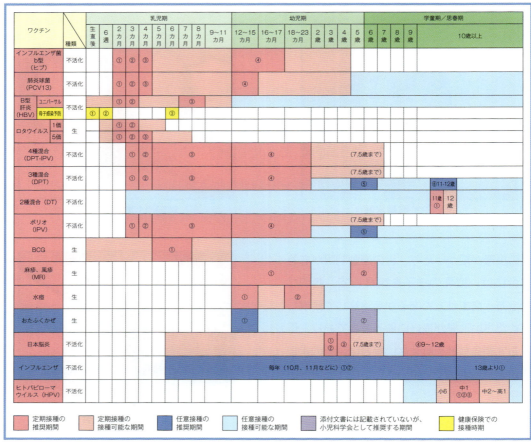

図2-36 日本小児科学会が推奨する予防接種スケジュール（2022年4月8日版）

早めに接種することで、かかると重症になりやすい百日咳、インフルエンザ桿菌、肺炎球菌から児を守ることができます。

図2-36を参考に1カ月健診で予防接種の重要性を伝えて、予約を促すとよいでしょう。

b ロタウイルスワクチンとB型肝炎ワクチンは？

ロタウイルスワクチンは2020年10月1日より定期接種化されました。生後15週以降は、初回接種後7日以内の腸重積症の発症リスクが増大するため、初回は生後2カ月〜14週6日までに行ってください。内服後に吐き戻しても再投与を行いません。B型肝炎ワクチンも生後2カ月から定期接種となりました。1歳までに3回終わっているようにしましょう。

以前はB型肝炎ウイルス若年キャリアのほとんどが母子感染によるものでしたが、近年ではキャリアの多くは水平感染によるものだと考えられます。このため、集団感染を防ぐことが重要になっています。周りの人の唾液、汗、涙などからも感染します。保育園に預ける予定があるなら、その前にワクチン接種を終わらせたいですね。

参考：近年、日本でも、慢性化することの多い遺伝子型AのB型肝炎ウイルスが増えてきています。現在広く使用されているワクチンでもこの遺伝子型のウイルス感染予防に効果

があります。

c インフルエンザワクチン

　生後6カ月を過ぎたらインフルエンザが流行する1カ月くらい前に、2回の接種を済ませておきたいですね（予防接種をしてから2～3週間たつと感染を防ぐだけの免疫ができます）。なお、インフルエンザワクチンは生後6カ月から接種できますので、兄姉がいる場合、保育園などで集団生活をする場合には、1歳未満でも接種を済ませておくとよいでしょう。

d 水痘ワクチン

　水痘ワクチンは、1歳の誕生日の前日から3歳の誕生日の前日までのお子さんが定期接種の対象になります。

　2回の接種を行うこととなっており、1回目の接種は標準的には生後12カ月から生後15カ月までの間に行います。2回目の接種は、1回目の接種から3カ月以上経過してから行いますが、標準的には1回目接種後6カ月から12カ月まで経過した時期に行うこととなっています。

　1回目は1歳、2回目は1歳6カ月で行うことが多いです。最近はNICUのきょうだい面会も行われていますが、水痘ワクチン2回接種が必須というところも多いです。1歳と1歳6カ月に受けておくようにします。

e おたふくかぜワクチン

　1歳を過ぎたら早期に接種します。麻疹・風疹混合（MR）ワクチン2回目と同じ時期（小学校入学前の1年間）での接種が推奨されています。

6 見落としてはいけないポイント

a 最重要

- マススクリーニング結果の確認と報告
- 母親のB型肝炎ウイルスキャリアの確認（p.45参照）
- ビタミンK_2シロップの投与（あえて書くまでもないと思いますが、「ついうっかり」ということのないようにしてください）。

　これらは、1カ月健診に特化したポイントです。いずれも見落とすと赤ちゃんの予後を大きく変えてしまう可能性があり、医事紛争となると小児科医の将来も変えてしまうかもしれません。

百日咳に注意！

　ワクチンを接種していない3カ月未満の乳児が百日咳にかかると重くなり、命の危険も生じます。大人の百日咳が増加しています。家族が百日咳にかかると乳児にも感染するかもしれません。年長児の百日咳を防ぐことが大切です。

　日本小児科学会は、3種混合ワクチンの2回追加接種を推奨しています。
①小学校に入る前の1年間（MRワクチン）
②11～12歳

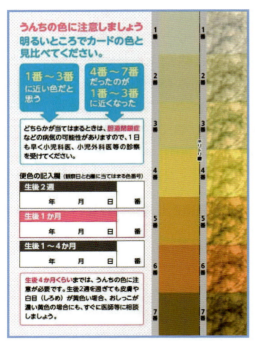

図 2-37 母子健康手帳に綴じ込まれる便色カード

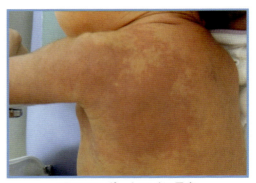

図 2-38 ポートワイン母斑

（昭和大学医学部形成外科・土佐泰祥先生より提供）

b 命に関わるもの

● 胆道閉鎖症

「うんちは何色ですか？」と聞くと、多くの母親は「黄色です」と答えます。「黄色です」とお母さんが答えたら、「かぼちゃ、からし、マスタードくらいですか？」と聞いてみてください。母子健康手帳の便色カード（図2-37）で確認します。分娩施設退院時に母親にチェックするよう伝えておきます。

c 機能獲得に影響を及ぼすもの

● 眼　位

先天性の斜視があれば、お母さんから訴えられることが多いです。稀ではありますが、Duane症候群や先天性外転神経麻痺などが考えられます。

● 視　力

光が入らなければ視力は育ちません。眼瞼下垂、上眼瞼の苺状血管腫などがあれば、光刺激を受けられないかもしれません。小児眼科医に相談してください。

● 聴　力

音に対する反応：大きな音を立ててもモロー反射が出ない、反応がない、という場合は、診察のときに静かな部屋で音を立てて反応するかを見てみましょう。ある程度反応があれば、3〜4カ月健診でガラガラなどに対する反応を再度確認してもらうよう伝えましょう。

d 治りにくくなるもの

● ポートワイン母斑（図2-38、サーモン・パッチを除く）

レーザー治療の適応となりますが、早期に行えば効果が高いため、レーザー治療が可能な施設を紹介しましょう。顔の片側半分（特に眼の周囲）にある場合はSturge-Weber症候群を考えて、眼科・脳神経外科を紹介します。

● 太田母斑

眼の周囲に青あざとして見られます。レーザー治療が可能な施設を紹介しましょう。

● 折れ耳（絞扼耳）

p.91参照のこと。

● 埋没耳

p.91参照のこと。

1カ月健診で黄疸を認める母乳育ちの赤ちゃん

母乳性黄疸では、人工乳に数日変更すると良くなることをしばしば経験します。だからといって、安易に人工乳に変更するというのは好ましくありません。まず、出産予定日からどれくらいたっているのかを見ることが大切です。その理由は、在胎36週で生まれた児と40週で生まれた児では脳血液関門（blood brain barrier）の成熟度が異なるからです。

在胎36週で生まれた児は、1カ月健診が予定日付近となりますので、光線療法などの治療が必要かもしれません。ビルメーターで見ればわずかの血液ですぐに結果がわかりますので、検査を行ってから判断するほうがよいでしょう。

予定日から4週間前後経過している（修正44週前後）児で、体重増加も良好であれば、ビルメーターが18mg/dL以下の値なら母乳を続けてあげてもらいましょう。ビルメーターが25mg/dL未満であれば1～2日して再度ビリルビンの値を調べてみるとよいでしょう。これで低下しているようなら、このまま母乳だけで育てていくように伝えてください（残念ながら現時点でのエビデンスはありません）。

覚えておいてほしいのは、「黄疸がある＝悪いこと」ではありません。赤ちゃんの成熟に重要な意義を持つ上皮成長因子（EGF）が母乳からたくさん入ると、黄疸が出ます。ビリルビンには強力な抗酸化作用があり、体質性黄疸の一種であるジルベール症候群では虚血性心疾患が少ないこともわかっています。

7 母乳育ちの赤ちゃんの健診ポイント

● 安易に人工乳を足すよう勧めない

1カ月健診では母乳育児の専門家（助産師・看護師など）もいると心強いです。少しでも不安なことがあれば、実際の授乳を見てもらうことができます。

健診では授乳回数、授乳の間隔、授乳のタイミングならびに母親に授乳時の乳頭や乳房の痛みの有無や、乳頭保護器を使用していないかを確認してください。授乳のタイミングとしては泣いたら授乳するのではなく、児が欲しそうにしていたら授乳するよう伝えましょう。啼泣後に授乳をするとうまく飲めない児や、授乳しようと思ったときには寝ていたということもしばしば経験します。どちらの場合も1日に摂取できる母乳量は減ってしまいます。この時期の授乳間隔は、夜間であっても最長4時間を目安にするとよいでしょう。乳腺腔内に乳汁が充満すると母乳産生は抑制されるため、母乳産生量を維持～増加させるためには、頻繁に授乳してもらうほうがよいのです。

そして可能な限り、児の診察終了後は母乳育児の専門家と一緒に、授乳の様子を確認してください。表2-2のようなサインが確認できたら、吸着が適切でないと考えられます。

赤ちゃんの不思議①　視覚

　生後間もない赤ちゃんの視力は0.02～0.03と言われています[12]。生後6カ月で約0.1です。しかし、赤ちゃんは出生後早期からお母さんの顔（中でも自分を見てくれている顔）が大好きです。もともと赤ちゃんは自分に対して注意を向けてもらわなければ生きていけないことをわかっているので、自分を見てくれると一生懸命見つめ返すのです。けなげですねぇ。

　また、自分に注意が向けられていない場合には、ぐずることも経験します。これも自分を見つめて欲しいという表現なのです。もともと人間の赤ちゃんは、高い知能の代償として大きな脳と頭を持つため、自然分娩のためには生物学的には"早産"という状態で生まれてきます。生物学的に未熟な状態で生まれてくる人間の赤ちゃんは弱い存在であり、必ず養育者（多くの場合は母親）の助けを必要とします。生きていくためには、自分を助けてくれる養育者を自分の側に引き付けておく必要があるのです。赤ちゃんがかわいいのは、生きていくために備わった能力なのです[13]。

表2-2　授乳時の吸着が不適切なサイン

①おちょぼ口（人工乳首を加えているような口の開き）
②唇が巻き込まれている。
③頬にえくぼができる。
④舌打ちする音が聞こえる。

　不適切な抱き方や含ませ方で授乳をしていると、児の体重が増えないだけでなく、乳頭に傷ができたり痛みを感じたりします。適切に乳頭・乳輪を含むことができれば、多くの場合、乳頭痛は消失または軽減します。もし、抱き方や含ませ方をどのように直しても乳頭の痛みが強い場合は児の口腔内を確認しましょう（舌小帯短縮、バブルパレートなど）。乳頭の痛みのために1カ月健診を待たずに、母乳育児を諦めたという母親も少なくありません。搾乳して哺乳びんで母乳を与えるという方法もあります。どのようにすれば母親が負担に感じることなく母乳育児を続けていけるのか、一緒に考えてみるとよいでしょう。

　産科施設退院時に診察をすることがあれば、抱き方と含ませ方が適切か、母親が痛みを感じていないか、ということを確認してください（p.28参照）。また、退院後でも授乳がつらくなることがあれば、すぐに連絡してもらい、対処できる体制も大切です。「困ったらいつでも対応してもらえる」という安心感は、医療者が想像する以上に母親にとっては心のよりどころとなるのです。

　授乳方法を変えるだけで体重増加が良くなることもあるので、授乳の様子を評価せずに「体重の増え方が少ないから人工乳を足しましょう」とは決して言わないでください。

　この時期になると、赤ちゃんはおっぱいを吸うのが上手になってきます。1日の授乳回数は8～16回とかなり幅があります。1回の授乳時間も10分弱の赤ちゃんもいれば、左右両方で1時間近くくわえている赤ちゃんも

います。お母さんと赤ちゃんのペアそれぞれに、授乳のパターンは違います。基本的には、1回の授乳は赤ちゃんが離すまで続けるよう、お母さんに伝えましょう。もし、忙しくて時間がない場合には、ゆっくりとした吸い方に変わり、眠り始めたら、赤ちゃんに乳頭・乳輪をくわえさせたままで、乳房を圧迫してもらいましょう。少しでも母乳が流れると、赤ちゃんは再度、力強く吸い始めます。それを2～3回繰り返したら赤ちゃんが乳頭・乳輪をくわえていても、いったんお母さんのほうから終了にしてよいでしょう。お母さんの指を赤ちゃんの口角からそっと入れてから、離すように伝えてください。

- **授乳回数や間隔は一定ではない**

さて、午後～夕方にかけては、1時間ごとにおっぱいを欲しがるのは普通のことです。これは日本人だけでなく、ほかの人種でも同様です。この午後～夕方の時間帯は母乳分泌が他の時間帯よりも少なくなり、また、赤ちゃん自身も夕方になると"たそがれ泣き"と言われるように、もの哀しくなります。夕方は「夕食の準備などで忙しいのに……」とお母さんたちは困ってしまうかもしれません。あらかじめそれが普通であることを伝えておくと、夕方は赤ちゃんのために時間をとれるようにプランニングでき、落ち着いて赤ちゃんとの時間が持てるでしょう。

生後6週頃と3カ月頃に、授乳回数が増えることがあります。そのため、お母さんは母乳が足りなくなったのかと考えて人工乳を足すこともあります。赤ちゃんが欲しがるままに授乳することで母乳の量が増えてきますので、人工乳を足す必要はありません。1カ月健診のときにこのようなことを伝えておくと、お母さんも心の準備ができます。なお、この時期に授乳回数が増えるのは、児の急成長期であるためだと考えられています[11]。

FAQ

1カ月健診編

夕方になるとよく泣きます。粉ミルクを足したほうがいいのでしょうか？

A 夕方になるとよく泣くので、「おっぱいが足りないのでは？」「おなかが空いてひもじい思いをしているのでは？」と心配されているのですね。

赤ちゃんが母乳育児をされていようと、人工乳で育てられていようと、生後間もなくの数カ月は、夕方や夜に決まってよく泣く時間があることも多いものです。おっぱいをいくら飲ませても役に立ちそうもないときは、まず抱っこをして動いてみます。他にも赤ちゃんをなだめるために、次のような方法もあります。

- 赤ちゃんのおなかを下にして、お母さんの前腕にまたがらせ、手で胸を支える。
- 赤ちゃんをスリングに入れて、家の中を歩き回ってみたり、外へ散歩に出る。
- 薄い毛布でくるむ。
- 赤ちゃんには刺激が多すぎるかもしれないときは、静かな部屋に連れて行く。
- ゆり椅子に乗せて、揺らす。椅子に座ったお母さんの膝に赤ちゃんを乗せて、お母さんがゆっくりと踵を上げ下げしながら、赤ちゃんの背中をやさしくなでる。
- 赤ちゃんのおなかを下にしてベッドに寝かせ、背中をやさしくトントンとたたく。

生後1カ月の男の子です。昼夜関係なく寝たり起きたりします。夜まとめて寝てくれないので疲れてしまいます。

　A　「夜ゆっくり寝られないと疲れが取れないのでは？」と不安に思っていらっしゃるのですね。まず、生後しばらくは赤ちゃんとお母さんはいつも一緒というところから、スタートしましょう。しっかりと休み、リラックスをすることはお母さんにとって大切なことです。昼間でも赤ちゃんが寝ているときは一緒に休みましょう。「家事・洗濯・掃除、あれもこれもやらなきゃ……」と気になりますが、できるだけ家族に手伝ってもらいましょう。

外気浴と日光浴とはどう違うのですか？

　A　ぽかぽかとお天気のいい日は赤ちゃんにも外気浴、日光浴をさせてあげたいものですね。外気浴は「赤ちゃんを外の空気に触れさせること」を言います。外気浴は赤ちゃんの皮膚を丈夫にし、新陳代謝を盛んにしてくれます。生後2週間を目安に、室内の窓を開けて外の空気に触れされることから始めてみましょう。その後、徐々に時間を長くして、外に連れ出すようにしましょう。

　外気浴で外の空気に慣れてきたら、生後1カ月を目安に日光浴を始めましょう。日光浴は血液の循環をよくし、カルシウムやビタミンD*を増加させてくれます。季節にもよりますが、夏場であれば1日15〜20分ほど太陽の光を浴びさせてあげれば、体に必要な量のビタミンDが作られます。初めは手・足から徐々に光を当てる部分を増やしましょう。日光浴を始めて1カ月後を目安に、全身浴へと進めましょう。日焼けするほど日光浴をするのは避けてくださいね。

＊ビタミンD：ビタミンDは骨代謝のみならず、アレルギー予防、感染予防、そして糖尿病、多発性硬化症、結核、ある種の悪性腫瘍をも予防する作用を持つ大切なビタミンです。脂溶性ビタミンで、脂肪含有量が増加する後乳に多く含まれます。このため、"空"に近づくまでしっかりと授乳することが重要です。母乳中のビタミンDはお母さんの血液中ビタミンD濃度と関係しますので、お母さん自身がビタミンDを多く含む食材をとるよう伝えましょう。

いつから大人と一緒にお風呂に入ってもよいですか？ 温泉に行くのですが、一緒に入れてもいいですか？

　A　ベビーバスの利点をまず確認しましょう。量が少ないのでお湯の温度の調節が簡単ですし、毎回清潔なお湯が準備できます。沐浴後も簡単にきれいに拭くことができます。では、いつから大人と一緒でよいのでしょうか。まず、母親（父親）がベビーバスで赤ちゃんの沐浴に慣れていることが大切になります。母親の健康状態も重要で、産後2〜4週くらいまでは性器出血などもあることから、母親の1カ月健診で産科医師から許可を得たら、ということが多いのですね。赤ちゃん側から見ると、臍の緒がとれて乾燥した時期には可能です。お風呂の順番は赤ちゃんを一番初めに入れましょう。

　温泉については、成分によっては肌に対する刺激が強いこともあり、衛生上も適切とはい

えません。何よりもお風呂でうんちをしたら、お母さんも困りますね。赤ちゃんは部屋にあるお風呂のほうがよいでしょう。

紙おむつと布おむつのどちらがよいですか？

A 布おむつには、経済的、ゴミにならない、肌触りが良いといった利点がある一方、吸湿性に劣り蒸れやすい、洗濯が必要といった短所があります。紙おむつは、吸湿性は良いので蒸れにくい、使い捨てなので便利といった利点がありますが、ゴミは増えます。どちらにするかは、家庭の育児方針や生活スタイルで決めてもらうとよいでしょう。

乳幼児用新型コロナワクチン

　乳幼児においても新型コロナウイルス感染症における重症例が確認されており、有効性、安全性を踏まえて、令和4年10月より乳幼児にもワクチン接種が始まりました。令和5年5月より新型コロナウイルス感染症は感染症法上、5類感染症に位置づけられることとなりました。それにより、新型コロナワクチン接種に関しても影響はあると思いますが、ひとまず現時点での生後6カ月から4歳までの新型コロナワクチンについて記載します。

ワクチンの種類：ファイザー社製（6カ月～4歳用）

摂取量：0.2mL

接種部位：
・1歳未満：大腿前外側部に接種（外側広筋で、中央1/3が接種部位）
・1～2歳：大腿前外側部または、三角筋中央部に接種

接種回数：3回（令和5年3月時点では、臨床試験に基づいた薬事承認で3回接種の用法となっているため）

接種間隔：
・2回目：1回目から通常、3週間
・3回目：2回目から8週間以上
注：2回目接種が1回目から3週間を超えた場合、3回目接種が2回目から8週間を超えた場合、できるだけ速やかに2回目または3回目を接種すること

他ワクチンとの接種間隔：
①インフルエンザワクチンは、新型コロナワクチンとの同時接種が可能
②前後にインフルエンザワクチン以外の予防接種を行う場合は、原則として新型コロナワクチン接種と13日以上の間隔をあける。

副反応：接種部位の痛み、疲労、発熱、頭痛などが確認されているが、多くは軽度～中等度で回復しており、重大な懸念は認められていない。

1ヵ月健診のコツ

赤ちゃんが大泣きしたら口腔内の観察を

健診をしたことがある方なら、いきなり赤ちゃんを裸にしようとして大泣きされた経験がおありでしょう。いきなり裸にされると赤ちゃんもびっくりしてしまいます。まずはゆっくりと赤ちゃんを仰向けに寝かせて、肌着をはだけて胸部（心音と呼吸音）の聴取をしましょう。ここで泣かれると聞きづらくなります。また、健診を待っている間におなかを空かせてしまう赤ちゃんも多く、ここで泣いてしまうと授乳をするまで泣きやまないこともあります。お母さんもオロオロしてしまいますよね。

胸部の聴診が終わったら、やさしく衣服をとっていきましょう。このとき大泣きされてしまうかもしれませんが、口腔内を観察するチャンスと捉えましょう。舌、頰粘膜、口蓋、口蓋垂を観察します。

泣かない赤ちゃんではrooting reflexを利用して観察します。舌圧子で無理矢理口を開けるのはやめましょう。舌圧子を入れると赤ちゃんはかえって口を閉じようとして、こじ開けることとなってしまいます。下口唇を指先でつんつんすると、大きく口を開けてくれます。しばらく口を開けてくれているので、口腔粘膜、口蓋垂まで観察できます。

なお、図2-39のように、上口唇にタコができている赤ちゃんをよく見ることでしょう。これができている赤ちゃんのほとんどは、母乳で育てられています。哺乳のときに上口唇が引き込まれて摩擦を受けるためにタコになるのです。いずれなくなるのですが、もしお母さんが気にしている、または、哺乳のときにお母さんが痛みを感じているようであれば、授乳のときに上口唇を小指でめくってもらうとよいでしょう。

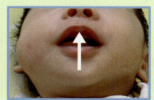

図2-39 上口唇のタコ

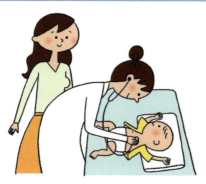

いきなり裸ん坊では赤ちゃんもびっくり。肌着を少しはだけて胸部の聴診

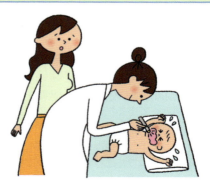

肌着を脱がせて大泣きしてしまったら、口腔内観察のチャンス！

1カ月 健診チェックリスト

計測
- [ ] 体重：　　　　　g（退院時からの体重増加　　　　　g/日）
- [ ] 身長：　　　cm　　[ ] 頭囲：　　　cm　　[ ] 胸囲：　　　cm

問診表に記入してもらう項目
- [ ] 栄養方法：[ ] 母乳のみ（授乳回数：1日　　回）
  - [ ] 混合栄養（母乳　　回、人工乳：　　mL×　　回）
  - [ ] 人工乳のみ（　　mL×　　回）
- [ ] 便の回数：　　回　　[ ] 便の色：便色カード（　）番
- [ ] 尿の回数：　　回

お母さんへの質問事項
- [ ] ひとりでにっこりほほ笑むことがありますか？
- [ ] 大きな音がするとビクッとしますか？
- [ ] 光があたると眩しそうにしますか？
- [ ] おへそがじくじくしていますか？
- [ ] おっぱいをあげるときに痛みを感じますか？
- [ ] 何か気になることはありますか？

医学的なチェック項目
- [ ] 大泉門：膨隆・平坦・陥没　大きさ：　　×　　cm
- [ ] 眼　位：正常・異常・疑い　　[ ] 頸部腫瘤（筋性斜頸を含む）：なし・あり
- [ ] 皮　膚：異常なし・異常あり（　　　　　　）
- [ ] 心雑音：なし・あり　　[ ] 腹部腫瘤：なし・あり
- [ ] 鼠径部（陰嚢含む）：異常なし・異常あり
- [ ] モロー反射：正常・異常・疑い
- [ ] 引き起こし反射：正常・異常・疑い
- [ ] 把握反射：正常・異常・疑い
- [ ] 先天代謝スクリーニングの結果
- [ ] 新生児聴覚スクリーニングの結果
- [ ] 2カ月になったら予防接種
- [ ] 母：B型肝炎キャリア？

1ヵ月健診劇場　お母さんがもっと元気になる会話例①

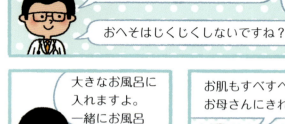

外気浴もしましょうね。光に当たることで皮膚で作られるビタミンDは感染症やアレルギー予防にも大切なビタミンです。夏なら15分くらい、冬場は30分くらいは光に当たりたいですね。

日焼け止めはいらないのですね？

はい。SPF8以上のものを使うとビタミンDが皮膚で作られなくなってしまいます。夏場に30分以上外出するときは別ですが、そうでなければいりません。

では、予防接種の説明をします。誕生日から2カ月を過ぎたら、定期の予防接種、ヒブ、ロタ、肺炎球菌、B型肝炎が始まります。

予防接種は一緒に何本も打っても大丈夫ですか？

基本的には早く終わらせることが大切になりますので、同時に3〜4本うちます。38度台の熱がでることもありますが、おっぱいの飲みなどがあまり変わりないようでしたら、少し冷やしてあげるくらいでかまいません。

私が食べるもので気を付けたほうがいいものはありますか？

何を召し上がっていただいてもいいですよ。ただ、お母さんの体にいいものをバランスよく召し上がってください。授乳中だから変わるものではありません。具体的には、ケーキやチョコレートも少しならいいですよ。あえて意識するなら、肉よりお魚ですね。野菜や果物も新鮮なものを取り入れるようにしてください。

最後に……。風邪を引かないように！　手洗いうがいをなさってくださいね。それから、お父さんに愚痴を聞いてもらってくださいね。何か心配なことがあったらいつでも連絡してください。心の中にいろいろためないこと、吐き出すことも大切ですので、付け加えておきます。

1カ月健診劇場　お母さんがもっと元気になる会話例②

3 2カ月健診

1 2カ月健診の重要性

a 子育て不安の有無の確認

2週間健診と同様に、2カ月健診も一般的な健診としては行われておらず、自費で行われています。

McDougallら[14)]は、生後6〜8週で体重増加不良を認めた児は哺乳障害を伴っていることも多く、生後4カ月・9カ月での発達の遅れを認めるリスクも高かったことを報告しています。特に母乳で育っている児では、生後2カ月での体重増加を確認するだけではなく、母親が子育てに不安を抱えていないかを確認してください。

産後2カ月時点で、母乳だけで育てていて、体重増加も良好であれば、よほど精神的に強いストレス（震災や離別など）がない限り、生後6カ月まで母乳だけで育てることができます。この時期には母乳以外に必要なものはないこと、母乳だけで育てる利点を改めて確認しておくことも有用でしょう。

b 2カ月健診が必要な母児と状況

2カ月健診を受けてほしい赤ちゃんと母親の状況と状態については表3-1の通りです。自費診察にするのか、保険での診察が可能となるのかによっても、2カ月健診を行うことができるかどうかは各施設によっても変わってくると思います。各施設で検討してくださ

表3-1 2カ月健診を勧めたい状況と状態

● 母親側の因子
① 1カ月健診にて以下の状況が確認されたとき
・育児不安が強い。
・母親にうつ病など精神疾患がある。
・シングルマザー
・社会的に孤立している。
・経済的に厳しい。
② 職場復帰を産後1カ月以降に予定しているとき
・職場復帰後の生活にストレスを感じていないか。
・職場で搾乳はできているか。
③ 人工乳の補足を行っているとき
④ 家族が母乳育児に否定的な場合

● 児側の因子
① 産科医が赤ちゃんの1カ月健診を行ったとき
② 1カ月健診で何らかの疾患があったとき
・心雑音
・陰嚢水腫
・湿疹
・舌小帯短縮　など
③ 体重増加が1日25〜30gであった（栄養方法にかかわらず）。
④ モロー反射の確認の際、音に対する反応がなかった。

い。

表中の状況にある中で、特に対処が必要な場合について説明します。

● 経済的に厳しい場合

児の成長発達にも関係する可能性があるため、これらの状態の母親には定期的に受診してもらうことが望ましいでしょう。ただし、その場合は保険診療にしないと受診してもらえない可能性が高いです。

- **人工乳の補足を行っている場合**

母乳育児の意義を再確認し、可能であれば人工乳を減らしていくように提案してみましょう。1カ月健診で乳房や乳頭のトラブルがある場合には、母乳育児の専門家を紹介します。その後のフォローとして、2カ月健診を予定してもらうこともよいでしょう。

- **家族が母乳育児に否定的な場合**

1カ月健診で母乳で育てる意思を強くしても、自宅に帰ると家族のサポートがないばかりか、人工乳を足すように母親を説得しようとすることもあります。2カ月まではフォローしたいものです。

- **1カ月健診を産婦人科医が行った場合**

産科施設によっては、母親の1カ月健診と一緒に赤ちゃんの1カ月健診を行うところもあります。この場合、産科の医師が行うことも珍しくありません。小児科医としての経験が生きることもありますので、1カ月健診を産婦人科医が行っている場合には、小児科医が2カ月健診を行いたいものです。

- **1カ月健診にて何らかの疾患があった場合**

1カ月健診で何か病気があると言われると母親は不安になるものです。「また3〜4カ月健診でみてもらってください」よりも「1カ月後にまたみましょう」と言うことで安心してもらえることも、よくあります。表中に挙げた疾患の場合、保険診療が可能です。

- **体重増加が1日25〜30gであった場合**

1カ月健診の項（p.80参照）でも述べていますが、1日の体重増加が24g以下であれば、もっと細かくフォローします。

- **音に対する反応がなかった場合**

1カ月健診では「大きな音に対してモロー反射が見られますか？」という質問をしますが、「家では音を立てないようにしています」という母親も少なくありません。赤ちゃんの泣き声でにぎやかな診察室では、なかなか反応を見られないないこともあります。「家でドアを閉めるときの音で、どのような反応をするか注意してみてください」と伝え、1カ月後の診察とするのもよいでしょう。

OKワード NGワード

人工乳を足そうかどうか迷っているとき

OK「赤ちゃんが授乳後も泣いてしまうので、おっぱいが足りないのではと心配されているのですね。赤ちゃんは体重もよく増えていますよ。今までどおり授乳していれば、おっぱいの出は減りません。もし心配なら、ひとまずあと1カ月、今までどおり赤ちゃんが欲しがるままにおっぱいをあげてみて、また見せてください」

NG「赤ちゃんがそんなに泣くのなら、人工乳を足してください。3カ月健診で体重増加を見せてください」

表3-2 2カ月健診での診察事項

- 児の体重の評価（1カ月健診からの体重増加）
- 一般的な診察
- 授乳の評価（体重増加が十分といえない場合）

表3-3 2カ月健診で確認すること

- 児の哺乳パターン
- 児の要求に合わせて授乳しているか
- 母乳以外のものを与えていないか
- 授乳に関してどのように感じているか
- 母乳が足りていると感じているか
- 家族は母乳育児についてどのように考えているか
- 母親が食生活に制限を設けていないか

表3-4 2カ月健診の際、母親に伝えたいこと

- 児が欲しがるままに欲しがるだけ授乳する。
- この時期の一般的な授乳パターンを伝える。
- 夜間であっても、授乳の間隔が長時間にならないようにする。
- この頃には便回数が少ないこともある（2〜3日に1回ということも珍しくない）。
- 母親自身のケアの重要性を強調する（母親にストレスや疲労がたまると母乳分泌が低下するだけでなく、乳腺炎などが心配。夜間の授乳もあるので、昼間も児が寝ているときは一緒に休むことを伝える）。
- おしゃぶりに頼らないことを伝える。（中耳炎や母乳育児期間短縮のリスク因子になるので、おしゃぶり以外に泣いたときの対処を知らせておく）
- 母親が薬を必要とする状態になったとき授乳をどうするか。
- ◎不意の外出（長時間の）に備えて搾母乳を冷凍しておく（これは重要）。

2 2カ月健診の実際

● 2カ月健診で診察する事項

2カ月健診での診察する項目を表3-2に示します。

3 母乳育ちの赤ちゃんの健診ポイント

a 2カ月健診で確認すべきこと

2カ月健診では表3-3のことを確認しましょう。

b 2カ月健診で母親に伝えること

● 診察中に伝えること

2カ月健診で、診察の際、母親に伝えたいことをまとめておきます（表3-4）。

● 健診の終わりに伝えたいこと

2カ月健診での診察を終え、母親が診察室から出て行く前に、以下のことを伝えます。最後に医療者にかけられた言葉は、母親にとって、次の健診までの大きな支えになるものです。

- 児を母乳で育ててようとしたことに対し、両親を称賛する。
- 父親に愚痴を聞いてもらうようお願いする。母親一人でためておくとつらくなることもあります。父親に吐き出せるとラクになるものです。
- 母乳育児の利点のいくつかを再度確認する。

空白期間のサポートがないと
人工乳のみの赤ちゃんが増える

　生まれてはじめの数カ月は、赤ちゃんが大きな変化を遂げる時期です。にもかかわらず、1カ月健診の次が4カ月健診では、母親が子育てに不安を感じていても対応できない期間が長くなってしまいます。特に母乳で育てている母親の場合、この空白期間は食欲・成長のスパートの時期でもあるため、母乳だけで育てることに不安になる時期でもあります。

　平成27年度乳幼児栄養調査によると、母乳だけで育てている割合は1カ月時で51.3％、3カ月では54.7％とどちらも昭和60年以降で初めて50％を超えました。混合栄養の割合を見てみると1カ月時に45.2％だったものが3カ月時には35.1％へと低下しています。人工栄養も1カ月3.6％、3カ月10.2％以前よりは低い割合ですが、3カ月までに人工栄養だけにする母親をもう少し減らしたいものですね。

2ヵ月 健診チェックリスト

計測
- [ ] 体重：　　　　　g（1ヵ月健診からの体重増加　　　　g/日）
- [ ] 身長：　　cm　　[ ] 頭囲：　　cm　　[ ] 胸囲：　　cm

問診表に記入してもらう項目
- [ ] 栄養方法：
  - [ ] 母乳のみ（授乳回数：1日　　回）
  - [ ] 混合栄養（母乳　　回、人工乳：　　mL×　　回）
  - [ ] 人工乳のみ（　　mL×　　回）
- [ ] 便の回数：　　回
- [ ] 尿の回数：　　回

お母さんへの質問事項
- [ ] 赤ちゃんと目が合いますか？
- [ ] あやすと笑いますか？
- [ ] 声をかけると反応しますか？
- [ ] おっぱいをあげるときに、痛みを感じますか？
- [ ] おっぱいで困っていることはありませんか？
- [ ] お母さんはしっかりごはんを食べていますか？
- [ ] 何か気になることはありますか？
- [ ] 予防接種をどこでうつか決めていますか？

医学的なチェック項目
- [ ] 大泉門：膨隆・平坦・陥没
- [ ] 眼　位：正常・異常・疑い
- [ ] 頸部腫瘤（筋性斜頸を含む）：なし・あり
- [ ] 皮　膚：異常なし・異常あり（　　　　　　　）
- [ ] 心雑音：なし・あり
- [ ] 腹部腫瘤：なし・あり
- [ ] 鼠径部（陰嚢含む）：異常なし・異常あり
- [ ] モロー反射：正常・異常・疑い
- [ ] 引き起こし反射：正常・異常・疑い
- [ ] 把握反射：正常・異常・疑い

4 3〜4カ月健診

はじめに

あやすと笑い、おはなしを始める時期です。周囲のものに興味を示し、1〜2カ月の頃と比べ、さまざまな変化が見られます。睡眠のリズムも作られる時期で、それまでの抱っこをしないと泣いてしまうという時期から比べると、母親もひと息つけることでしょう。そうはいっても、この頃から予防接種が始まるので、どう受けていけばよいのかといったことや、周りで音がすると気になっておっぱいを飲むのをやめてしまうなど、新たな心配事も出てきます。

1 成長の評価

a 体重

信頼できるいくつかの文献によると、生後1〜3カ月の体重増加の標準的なパターンは表4-1[15〜18]のとおりです。

b 身長・胸囲・頭囲

測定のしかたは、「1カ月健診」（p.80〜83）を参照してください。身長、頭囲は発育曲線（p.18〜19参照）にプロットしていきます。この時期も、頭囲のほうが胸囲よりも2cmほど大きいのが一般的です。頭囲が体重や身長と比べて著しくバランスが悪い場合や、年齢相当の値から95パーセンタイル以上、または5パーセンタイル未満の場合は、原因検索を行います。

2 神経学的な評価

3〜4カ月健診では、表4-2の項目についてチェックしていきます。

a あやし笑い

健診の際には、まずは赤ちゃんとのご対面のときに、心の中で、「大丈夫だよ。きみの味方だよ」とつぶやきながら表情をよく見てください。それから、笑いかけます。敵ではないとわかってもらえれば、これ以上ない笑顔で応えてくれることでしょう。

b 追視と固視

診察者と目が合い、その状態で医師が顔を動かすと児の目が追ってくるかを見てみましょう。母親にも「目で物や人を追います

表4-1 生後1〜3カ月の標準的な体重増加
- 1日に18〜30g[15]
- 1日20〜35g増加[16]
- 1週間に170g（24g/日）増えるが、113〜142g（16〜20g/日）増加することもある[17]。
- 2カ月まで1日に約30g増加する。
- 3カ月を過ぎると1日に約20g増加する[18]。

表4-2 神経学的観点から確認する項目
- あやし笑い
- 追視と固視
- Cooing（アーとかクーと言うこと）
- 音の方を向くか

か?」と聞きますが、自分でも確認してください。左右の眼球の動きに異常はないか、ペンライトを使うときには瞳孔に光が反射して見えるかも確認しましょう。この月齢になると30cmの距離なら、左右だけでなく上下も追えるのが一般的です。もし、追視しないようであれば、目の異常、頭の異常、アタッチメント不足を考えます。

c Cooing(アー、クーなどと言うか)

赤ちゃんがおしゃべりをしてくれたら、礼儀として、診察するほうも返事をしましょう。そのまま会話が続くこともありますが、お互いに楽しいひとときとなります。それを見ている母親はきっとあなたに信頼の気持ちを持ってくれ、心を開いてくれることでしょう。

d 音の方を向くか

見えない方から大きな音(ガラガラなど)を聞かせて、音の方を向くか確認します。

3 気を付けたい身体所見

3～4カ月健診で気を付けて確認したい身体状態は表4-3のとおりです。

a 姿 勢

下肢は左右対称に屈曲、半ば外排していることが多いです。一方、左右の上肢は異なった肢位です。そして、手は開いていることが多くなってきます。

b 定 頸

引き起こし反射で確認します。45°引き起こされたところで、頸が体幹と平行になるか確認しましょう。

c 呼吸音、顔の挙上、背中～臀部の確認

腹臥位にして背中から呼吸音を聴診するとともに、顔を正中にするとベッドから45°近くまで挙上するかをみます。背中の皮膚、仙

表4-3 確認したい身体所見

- 姿勢
- 定頸
- 呼吸音、顔の挙上、背中～臀部の確認
- 股関節、膝
- 臍ヘルニア
- 外陰部(男児、女児)

今すぐ使える 会話例

シーン⑩ 母親に自信を持たせる

赤ちゃんが笑ったとき
「とてもすてきな笑顔ですねぇ」

腹臥位で頸をしっかり持ち上げたとき
「力持ちだねぇ」

皮膚に湿疹などがないとき
「お母さん、きれいに洗えていますね。とても素晴らしいですよ」

ポジティブな反応を必ずーつは伝えます。これは母親ががんばっていることを認め、称賛していることを示すためでもあります。

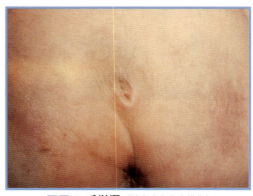

図4-1 毛巣洞(橋本武夫先生提供)
周囲に色素沈着、脂肪腫、血管腫が見られたり毛が生えている場合は潜在性二分脊椎も疑う。

尾部のdimple（くぼみ）がないか確認しましょう（図4-1）。

d 股関節、膝

もう一度仰臥位に戻して、股関節の開排・硬さを確認し、次に両足首を持って両足を揃えて、膝をしっかり立て、左右の膝の高さを比べましょう。おむつを替えるときに嫌がらないかも聞いておきます。

e 臍ヘルニア

泣いたとき、でべそがピンポン玉くらいの大きさになると、ヘルニアはよくなっても皮膚がたるんだままになって、1歳過ぎに形成外科で手術をしてもらうことを経験します。こうなると母親も児もつらいので、スポンジと透明ドレッシングテープを使って飛び出した臍を押し込む治療も考慮します（図4-2）。

個人的には100例以上やっていますが、トラブルはなく、ほとんどの児は1カ月以内に、ピンポン玉くらいの大きさでも2カ月くらいでしぼんできます。ヘルニア自体は生後6カ月くらいでおさまりますので、これまでの間に皮膚の余剰をなくしておくことが大切です。

f 外陰部（男児）

男の子では陰嚢が両側とも触れるか、大きさに差がないか、硬さはどうか、ということも確認しましょう。6カ月健診では左右差はなかったのですが、生後8カ月に左陰嚢だけ硬く触れて、小児専門施設の泌尿器科に紹介したところ、精巣腫瘍だったという例も経験しています。

しばしば相談されるのは包茎です。包皮をやさしく陰茎の根元に向けて、押し下げます。ステロイド軟膏を使う方法もよく用いられて

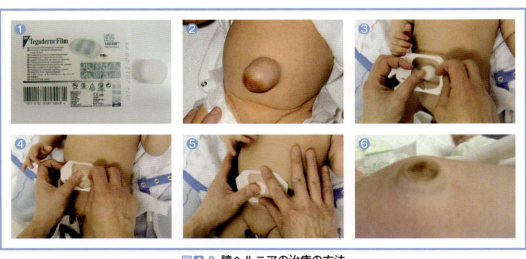

図4-2 臍ヘルニアの治療の方法

透明ドレッシングテープとスポンジを用意します（①）。まず、ヘルニア門の大きさを指先で確認します（②）。次に、透明ドレッシングテープ（写真はテガダーム™）の粘着面とスポンジの粘着面を張り合わせます。このとき、スポンジが付いた方を下にします。飛び出した臍にスポンジを押し当て（③）、テガダーム™の上から親指でスポンジをゆっくりと押し込んでいきます（④）。そして、臍周囲からテガダーム™の辺縁にかけて肌に密着させていきます（⑤）。

このままお風呂にも入れます。もし、水がテープの中に入ってしまった場合には、張り替えます。施設によって張り替えの頻度は違いますが、私は週2回行っています。写真に示したような巨大な臍ヘルニアも、2カ月以内には治療後の写真のようになります（⑥）。この赤ちゃんはこのまま1歳6カ月まで経過を見ましたが、引っ込んだ臍になっています。

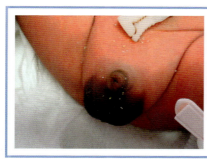
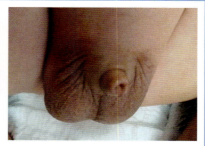

図4-3 埋没陰茎

いますが、両親の不安度にもよるでしょう。ステロイド軟膏を使うときは、包皮を少しむいた状態で、包皮先端に1日2回塗ってもらいます。無理をして包皮を押し下げないように注意してください。嵌頓包茎となると緊急手術が必要となることもあります。図4-3のように陰茎が小さく見えて「マイクロペニス？」と考えることがあります。陰茎を引っ張り、恥骨結合から陰茎先端（皮膚をむいて）までの長さを測ります。3cmあれば埋没陰茎（埋もれているだけ）です（図4-4）。

g 外陰部（女児）

女の子は、陰唇癒合（p.93参照）がないかを見ておきましょう。これは、ほとんどの場合、外陰炎による後天的なものです。該当する場合は、やさしく手で左右に開いて、剥離を試みます。難しいようなら小児外科を紹介しましょう。

4 4カ月健診

a 4カ月健診の意義

多くの自治体では4カ月健診を行っています。以前は3カ月健診が多かったのですが、首のすわりが確認できずに要フォローとなってしまうことが多く、4カ月に変わったところが多いようです。この時点では首もしっかりしており、声を出して笑うなど、発達も明

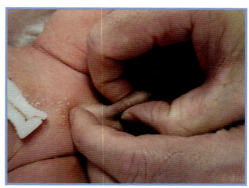

図4-4 埋没陰茎のチェック

らかにわかるという利点もあります。

b チェックすべきこと

- 定頸（頸がすわり、揺らしても前屈しない）
- あやし笑い（声を出して笑うか）
- Cooing
- 追視
- 手：触れたもの、近くのものは握り、振ったり、なめたりして遊ぶ。
- 姿勢：対称的な姿勢
- 下肢：左右対称に屈曲、半ば挙上
- 垂直抱き：下肢は屈曲位をとることが多い。
- 仰臥位で頸を一方に回すと身体全体が棒のように回転することが多い（頸の立ち直り反射）。
- 左右の上肢を顔の前に持ってきて遊ぶ。
- 腹臥位：前腕で体重を支え、顔を正中にし

表4-4 自閉スペクトラム症の診断基準

- 対人関係の質的な障害
- 行動、興味の限定、反復的な行動
- コミュニケーションの質的な障害

今すぐ使える 会話例

シーン⑪ 父親が一緒に健診会場に来ているとき

「お父さんはどんなことを手伝ってくれますか？」

「お風呂に入れてくれます」とか「泣いたら抱っこしてくれます」という答えが返ってきたら、

「お父さん素晴らしいですねぇ、女の子は大きくなるとお父さんは臭いとか洗濯物は一緒にしないでとか言われることがあるようですが、小さいときからたくさん抱っこしてあげていると、お父さんのにおいが好きになるのですよ。大きくなっても嫌がられることはないですね」

お父さんがもっと育児に参加したくなるように声をかけましょう。

てベッドから45〜90°まで挙上

5 自閉スペクトラム症について覚えておきたいこと

4カ月健診で、母親から「うちの子はあやしても笑わないのですが、自閉症ではないでしょうか？」と聞かれたり、「視線があまり合わず、自閉症ではないか」などと心配する母親もいます。しかし、笑顔が少なかったり、視線が合わなかったりするからといって、必ずしも自閉スペクトラム症というわけではありません。最近、多くなったこれらの質問に対応するため、ここでは自閉スペクトラム症について頭に入れておいてほしいことをまとめました。

a 自閉スペクトラム症の定義

表4-4の3つの症状のうち最低でも1つが3歳までに発現し、かつ、診断の時点で3つの障害が全部発症していることが自閉スペクトラム症の条件となります。

この診断基準を素直に読めば、3歳以前の2歳頃までの乳児期の赤ちゃんや幼児の診断は困難です。よほど2歳頃までの症状が重く、

FAQ

3〜4カ月健診編

「首がすわっている」とはどんな状態をいうのですか？

A 首のすわりは引き起こし反応で確認しています。生後4カ月頃になると、45°引き起こしたところで、頭と頸部が同じ傾きになるようにまっすぐ起き上がってくるのです。生後5カ月頃になると、後ろに返しても、首は落ちなくなりますよ。さらに6カ月になると、もう肩をゆすっても、首は安定しています。

もし、生後4カ月になっても首がしっかりしてこない場合には、赤ちゃんを腹臥位にし、胸の下にバスタオルを巻いたものを入れて、首を持ち上げさせてみてください。赤ちゃんの正面にお母さんも腹ばいになって声をかけてあげれば、赤ちゃんはがんばってお母さんの方を見ようとしますよ。

Don't worry mam! お母さんの心配事

自閉症ではないか心配です

実際のところ、乳児期の赤ちゃんでは自閉症の診断は困難です。なぜなら、何となく自閉症の徴候を示す場合はあるのですが、赤ちゃんは育児書の通りに、みんなが規則正しく成長するものではないからです。成長の早い赤ちゃんもいれば、ゆっくりと育つ子もいます。赤ちゃんは、お母さんに訴え、お母さんはその訴えに対して反応するという親子間の信頼関係のベースを築きあげる大切な時期です。今は赤ちゃんが出してくる訴えやサインを見つけて、お母さんがそのつど対応してあげることを第一に考えてみましょう。

表4-5 各成長段階での自閉スペクトラム症の特徴

- ●乳児期早期の特徴
  - 昼間はおとなしい。
  - 身体が軟らかい。
- ●乳児期後期以降の特徴
  - 人見知りをしない。
  - 動きが少ない。
  - いつもゴロゴロしている。
  - はいはいや後追いをしない。
  - bubblingが出ない。
- ●1歳頃の特徴
  - 人との関わりがない。
  - "バイバイ"や"パチパチ"のまねをしない。
  - 記憶に問題がある。
  - 視線が合わない。
  - 言葉の遅れ
- ●1歳6カ月頃の特徴
  - あいさつをしたり、声をかけてもまったく反応がない。
  - 有意語を話さない。
  - 診察の間中、動き回って診察を拒否する。

対人関係の質的な障害、行動、興味の限定、反復的な行動、コミュニケーションの質的な障害の3つの障害がはっきりと発現し、3歳までに障害が消える可能性がほとんどないケースでしか、3歳未満の乳幼児期の赤ちゃんや幼児への診断はできないことになります。

乳児期の赤ちゃんの視線があまり合わないとか、不機嫌なことが多い、笑いが少ないなどの症状は、自閉的な症状の一つですが、発達障害であるという診断は不可能な場合が多いです。

b 注意して経過を見てほしい児

視線があまり合わない、不機嫌なことが多い、笑いが少ない赤ちゃん——このような症状の原因としては、精神発達の遅れや、点頭てんかんの初期症状などの疑いもあります。母親があれこれ一人で心配するよりも、病院の小児科で、医師による診察と発達テスト、脳波検査などの診断を受けたほうがよいでしょう。

表4-5のような特徴が見られる場合は、診察者が定期的にフォローするか、病院の小児科でフォローしてもらいましょう。専門家に一度紹介してもよいかもしれません。

見落としてはいけないポイント

3〜4カ月健診では、音に対する反応と眼位をチェックすることが大切です。異常が見逃されてしまうと、聴力や視力に影響を及ぼすからです。

表4-6 音に対する反応と言葉の発達

1段階 (0〜2カ月)	・突然の音にビクッとする・大きな音に反応する：モロー反射 ・眠っていて突然の音に目を覚ますか、泣き出す。
2段階 (3〜6カ月)	・テレビの音（コマーシャルなど）の方に顔を向ける。 ・日常の音（おもちゃ、テレビの音、楽器の音、戸の開閉など）に興味を示す。 ・お母さんの声に振り向く（4カ月頃から）。 ・不意の音や聞き慣れない音、珍しい音にはっきり顔を向ける。
3段階 (7カ月〜1歳)	・7カ月〜：外の動物の鳴き声に関心を示す。 ・9カ月〜：「おいで」「バイバイ」などに反応する。 ・10カ月〜：そっと後ろから名前をささやくと振り向く。 ・11カ月頃〜：音楽に合わせて体を動かす。
4段階 (1歳〜1歳6カ月)	・意味のある言葉が出る。 ・目、耳、口などの身体部位を尋ねると指をさす。 ・「新聞取ってきて」など、簡単な言葉による言いつけに応じて行動する。

正位　　　両眼とも瞳孔中央にある。

内斜視　　片側のみ瞳孔中心より外側にある。
内斜視は生まれつきの場合と、遠視が強いために目が内側に寄ってしまう場合の2種類がある。遠視の場合は眼鏡で矯正することで治せるが、生まれつきの場合は、手術も考慮される。

偽内斜視

外斜視　　片側のみ瞳孔中心より内側にある。

間欠性外斜視　遠くを見るときや、ぼんやりしているときに、片目が外側にずれてしまうもの。普段はきちんとした方向へ目が向いているので、視力は普通に発達する。また両眼視機能も比較的良いので、急いで手術をする必要はない。

・ペンライトなどの角膜反射

図4-5 眼　位［山中龍宏，原朋邦．見逃してはならないこどもの病気20．医学書院，2000より改変］

a 聴　力

聴力はその後の言葉の獲得にもつながっていきます（表4-6）。音のするおもちゃに反応するか試してみます。また、日常の中で母親の声に反応したり、テレビや楽器の音に興味を示したりするか、母親に聞いてみます。

b 視　力

乳児内斜視は生後2〜3カ月から発症します。経過を観察していても治らないことが多いので、小児眼科医に紹介しましょう。

健診では、赤ちゃんにペンライトを見せ、角膜上の反射の位置から斜視の有無とその種類を判断します（図4-5）[19]。

c 股関節開排制限

開排制限がなくても股関節脱臼のあることがあります。大腿部のしわの左右差（図4-6）を参考にするのもよいでしょう。脱臼側では大腿骨頭が後上方に転位しているため、大腿部の皮膚がたるみ、しわが深くなったり、数が多くなります。大腿部のしわの左右差のほうが開排制限よりも診断に有用であるとする専門家もいます。大転子と坐骨結節

開排制限

膝の高さの左右差

しわの左右差

図4-6 先天性股関節脱臼のチェック

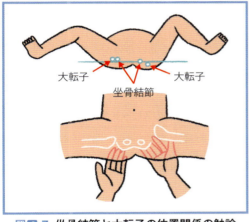

図4-7 坐骨結節と大転子の位置関係の触診
［坂口亮．"先天性股関節脱臼"．整形外科クルズス．改訂第2版．南江堂，1988，496より作成］

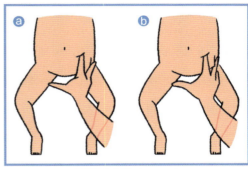

図4-8 Klisic test
［"Developmental dysplasia of the hip". Tachdjian's Pediatric Orthopaedics. 3rd ed. W. B. Saunders, 2001より作成］

a：中指を大転子に、人差し指を上前腸骨棘に置くと、正常ではこの延長線上に臍がある。
b：股関節脱臼では、延長線が臍と恥骨の間に来る。

赤ちゃんの不思議② 味覚（その1）
赤ちゃんは甘いもの好き！実はニンニク味も好き！？

　哺乳する液体の味・内容に関しては、甘い液体（ショ糖）を付着したおしゃぶりを連続して吸啜することが知られています[22)]。これは甘みを味わっているためだと考えられています。赤ちゃんも甘いものは好きなんですね。では、にんにく（ガーリック）はどうでしょうか？ 生後3～4カ月の赤ちゃんのお母さんに、1.5gのガーリック抽出物を飲んでもらってから1時間ごとに搾乳してもらいました。2時間後の母乳は最も強くガーリックのにおいが出ていました。実際に赤ちゃんに授乳してもらうと、ガーリック服用後のほうがより長時間おっぱいに吸い付いていました（ガーリック32.8分 vs. コントロール27.4分）。授乳の様子をビデオ撮影して、後で評価したところ、ガーリック服用後のほうが頻回に吸啜していたこともわかりました。そうはいっても、実際に飲み取った母乳の量は変わらなかったのですが……[23)]。

FAQ

3カ月健診編

お風呂上りに麦茶やお白湯を飲ませたほうがよいでしょうか？ 赤ちゃん用の麦茶というのも売っていますが……。

A 確かにそのように書かれている育児書がありますし、「赤ちゃん用麦茶」と書いてあったら、「飲ませたほうがよいのかな？」と思ってしまいますよね。でも、母乳以外のものを与える必要はまったくありません。

熱帯地域であるジャマイカで、母乳で育っている生後4カ月の赤ちゃんを、母乳だけを与えたグループと母乳以外の水分を与えたグループに分けて、血液や尿の検査を行った研究があります。その結果、母乳以外に水分をあげなくても、赤ちゃんは脱水になることもなく、母乳以外の水分は必要ないことがわかりました[24]。

赤ちゃんが何か飲みたがっているような気がしたら、おっぱいをあげるのが一番です。

今すぐ使える 会話例

シーン⑫ 父親が哺乳びんでミルクを与えたがる

「おっぱいだけでがんばりたいのですが、夫が哺乳びんでミルクをあげたがるんです」

「やさしいお父さんですね。でもおっぱいはお母さんにしかできない役割だとわかってほしいですね」

「たまにはいいじゃないかって言うんです」

「そうなのですね。搾乳した母乳をスプーンであげてもらうとよいですよ」

「離乳食みたいですね」

「そうなんですよ。おっぱい育ちの赤ちゃんは離乳食を嫌がることがたまにあるのですが、お父さんがあげるとよく食べるということもあるようです。赤ちゃんは、おっぱいはお母さん、ごはんはお父さん、とちゃんとわかっているのかもしれませんね」

表4-7 体重増加のスピードが低下した際の注意点

① 授乳環境に注意する
② 一晩中眠っていないか
③ おしゃぶりを与えていないか
④ 湯冷まし、果汁、麦茶などを与えていないか

を触れる（図4-7）[20]、Klisic test（図4-8）[21] をチェックするなどして、疑わしい場合は整形外科を紹介しましょう。

7 母乳育ちの赤ちゃんの健診ポイント

a 体重増加が低下した場合

生後3カ月まで体重増加が良好だったが、その後に体重増加が低下した場合に注意することは、表4-7のとおりです。

● **授乳環境**

この月齢になると、兄姉が授乳の際に近づいてくるような場合には、集中して飲めないことも多くなります。また、テレビなどをつけていないかも確認してください。眠いとき、寝起きなどは集中して飲めるので、このようなタイミングでの授乳を勧めます。また、薄

暗い部屋で与えるなどを提案してみてもよいでしょう。兄姉がいる場合は、一晩中眠るようであれば少なくとも夜も1回は授乳するか、昼間の授乳を増やすよう伝えてください。

● おしゃぶり

赤ちゃんがぐずるからという理由でおしゃぶりを与えていることが多いようですが、おしゃぶりを使うと、乳房以外のもので「吸う」という欲求が満たされてしまうため、おっぱいの飲みが悪くなり、体重増加が低下してしまいます。

おしゃぶりは乳幼児突然死症候群（SIDS）を予防するとの見解もありますが、一方で中耳炎、歯列、噛み合わせなどと深く関係しており、使わないほうが好ましいでしょう。

● 湯冷まし、果汁、麦茶など

カロリーのないもので空腹が満たされてしまうと、授乳回数や摂取量が減ってしまいます。母乳で十分であることを伝えます。

上記の注意点を見直しても体重増加が改善しない場合、児が生後4カ月後半であれば、早めに補完食を開始することも提案してみましょう。このためにも生後2カ月くらいからは、児に食べることへの意識づけを行っておく必要があります。家族の食事の場に児も参加し、「食べること＝楽しいこと」と感じてもらうように心がけましょう。

● 食べる学習を

子どもを寝かしつけてから家族（母親）が食事をとっていたのでは、子どもは"食べる"ということがどういうことかわかりませんし、楽しいこと、興味を持つことになり得ません。食べる準備をせずに、ある日突然、母親が正面に座っていきなりスプーンを口に入れられても、口に入れて安全なものか、危険なものかもわかりません。食べるものか、吹き出して遊ぶものかもわかりません。

ですから、できるだけ家族が一緒に食べているところを（しかも、「おいしいね」などと笑顔で）見せることで、食べても安全、食べることは楽しいとわかっていきます。これによって補完食への準備が整っていきます。

b 母乳で育っている児で遭遇すること

● 点状や線状の血便

母乳で育てられている児ではときどき点状や線状の血便が見られることがあります。知っていればさほど慌てないかもしれません。一般的には、数日間少量の出血が点状や線状に便に混じった後に消失し、しばらくして血液が混じるという経過を数カ月たどることがあります。このような症状が見られるのは生後2〜3カ月頃が多く、児は母乳の飲みもよく、体重増加も良好で、腹部所見にも異常はなく、機嫌も元気も良いというのが一般的な特徴です。嘔吐や下痢、発育不良は伴いません。診断としては大腸リンパ濾胞増殖症を考えます（図4-9）。出血はごく少量で、貧血に至るまでではありませんので、まず、母親に母乳育ちの赤ちゃんではときどき見られるもので心配はいらないことを伝えます。もちろん、出血量が増えてくる、嘔吐を伴う、元気がなくなるというようなことがあればすぐに連絡してもらうよう伝えましょう。児の全身状態によっては、アレルギー性腸炎、細菌性腸炎、裂肛、メッケル憩室なども考慮します。

● 便　秘

生後1カ月までは授乳のたびに排便していますが、1カ月を過ぎた頃から3〜4日に1回というのは通常よく見られます。便秘での小

図4-9 リンパ濾胞増殖に伴う血便
生後3カ月の児の便。週に1～2日このような便が出ると心配している。

図4-10 吐血の原因の確認
授乳前後に胃の内容物をひく。

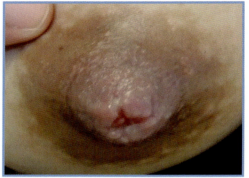

図4-11 乳頭亀裂

児科受診を安易に勧めると、人工乳を足す、マルツエキス（乳幼児便秘治療剤）や砂糖水や果汁を飲ませる、小児外科で透視検査を行う、などといったことになるかもしれません。これらの児も離乳食を始めると、便回数が増えてきます。生後1カ月までは便回数が多かった、便が軟らかい、お腹が軟らかい、お腹が過度に張っていない、嘔吐や哺乳不良などの症状がないといったことが確認できれば、経過を見ます。

● 吐血

元気な児で吐血する場合の多くは、哺乳の際の乳頭亀裂によるものです。よって、大切なことは、授乳のときに乳頭痛がないか確認することです。

搾乳では出血は見られず、児が吸うことによって初めて出血することもあります。したがって、以下のように確認するとよいでしょう。

① 授乳前に栄養チューブを挿入し、まず胃の内容物を確認します（血がひけないか）（図4-10）。

② その後、授乳してもらい、乳頭に痛みがないか確認します。

③ 児が「ごくごく」と言い始めた頃に胃の内容物をひき、血がひけると乳頭亀裂と考えます。

④ 授乳後に実際に乳頭の傷を確認します（図4-11）。

3～4カ月健診のコツ

寝返り期の安全な診察

　まず、抱っこして診察室に入ってきた母親と赤ちゃんの様子を観察します。母親が児の顔をしっかりと見ているか、抱き方はどうか、などです。そして、母親に児をベッドに寝かせてもらいます。そのときに児の体をベッドに対してどのように寝かせるかを見ましょう。もし柵のないベッドで壁と平行に寝かせたら、壁側に頭がくるように寝かせ直してもらいます。3カ月を過ぎると寝返りをする児も散見されますから、常日頃から、寝返りをしてもベッドから落ちないようにすることを母親に覚えてもらう意味があります。いつも一歩先を読んで、安全対策をしていただくことが大切です。

　なお、診察室は静かな部屋でないといけません。心雑音が聞こえにくいというだけでなく、近くで他の児が泣いているのを聞くと、このくらいの月齢になるともらい泣きをしてしまうこともあるからです。

赤ちゃんが寝返りしても安全

赤ちゃんが寝返りすると、ベッドから落ちる可能性が！

赤ちゃんが夜を通して寝るのはいつ？

A 新生児のときはたくさん寝るのですが、コマ切れです。グリコーゲンが十分に蓄積されていないため、長時間続けて寝ると低血糖も心配です。モロー反射で目が覚めるのも、考えようによっては「なるほど、赤ちゃんってすごいね」ということになります。

原始反射がなくなり、グリコーゲンが蓄積されるまではコマ切れに寝ると考えておくと、母親も気持ちの準備ができるかもしれません。妊娠期間は3つに分けて第1三半期（トライミニスター）、第2三半期（トライミニスター）、第3三半期（トライミニスター）と呼びますが、生後3カ月間を第4トライミスターと名付け、何かと忍耐が必要な時期だという心構えを持ってほしいという医療者もいます

一般的に、モロー反射が起こりにくくなってくる生後4〜5カ月にはそれなりにまとまって寝るようになりますが、個人差は大きいものです。母乳の産生量にも関係しますが、生後8〜10週で5〜6時間続けて寝る子もいれば、生後6〜8カ月になってようやく5〜6時間続けて寝る子もいることを母親に伝えておくとよいでしょう。

3〜4ヵ月 健診チェックリスト

計測
- [ ] 体重：　　　　　g
- [ ] 身長：　　　cm　　[ ] 頭囲：　　　　　cm

事前に問診表に記入してもらう項目
- [ ] 栄養方法：[ ] 母乳（　　　　回）
  - [ ] 混合栄養（母乳　　　回、人工乳：　　　mL×　　　回）
  - [ ] 人工乳のみ（　　　mL×　　　回）

お母さんへの質問事項
- [ ] 音のする方を向きますか？
- [ ] 頸はすわっていますか？
- [ ] あやすと笑いますか？
- [ ] "アー""クー"という声を出しますか？
- [ ] 物を見て追いますか？
- [ ] 手は開いていることが多いですか？
- [ ] おもちゃを少しの間握って遊んでいますか？（左右とも）
- [ ] 食事の際、赤ちゃんも一緒ですか？

医学的なチェック項目
- [ ] 側臥位：両下肢は左右対称に屈曲。下肢を持ち上げる。手を顔の前に持ってきて遊ぶ。ガラガラの音の方を向く。追視・あやし笑い。
- [ ] 立　位：下肢は半屈曲または半ば伸展（尖足＋伸展は注意）
- [ ] 引き起こし反射：45°引き起こすと、頭と体幹が平行になる。
- [ ] 腹臥位：頭を持ち上げる。
- [ ] 水平抱き：顔をやや挙上、頸は体幹と平行。
- [ ] 予防接種の状況

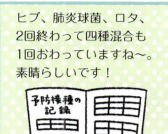

最後に今、覚えておいてほしいことを2つお伝えします。近くで音がしたりすると、おっぱいをやめて音のほうを向くかもしれません。周囲のことが気になって集中して飲まなくなる時期です。「集中しなくなったな〜」と思ったら、おっぱいの途中でも立ち上がってみるのもいいでしょう。
ご飯のときは、赤ちゃんもそばにおいて、楽しく食べているところを見せてください。特にご主人と食べているときは、会話しながら楽しい雰囲気を伝えてください。

5 6〜7カ月健診

はじめに

● 補完食が始まり、母親の不安も多くなる

　生後6カ月頃になると、母乳以外の食べ物にも興味を示してきます。この時期になると児は母親との関係だけでなく、他の家族や周囲の人との関係を深め、世界を広げていきます。

　子どもの成長・発達に伴って起こってくることに、母親はさまざまな悩みを持つようになるでしょう。補完食（離乳食）が始まり、1日の授乳回数は減ってくる児もぼつぼつと出てきますが、夜寝る前に長く母乳を飲んだり、夜に頻繁に起きて母乳を欲しがったりすることも少なくありません。育児書などにはこの時期になると授乳回数は1日5回くらいになるなど書かれており、この時期に8〜10回くらい授乳していると「母乳が出なくなったのか」「この子は育児書の記載と違っている」など不安を感じる母親もいます。

プラスワン　健診で赤ちゃんに大泣きされてもあわてない

　赤ちゃんに大泣きされると、医療者も困ってしまいますね。泣いていて診察に入れないようなときは、母親と時間をかけて話をします。母親の言葉を傾聴し、共感しながら話をしましょう。母親が泣いているわが子を前にして、ピリピリしていたのでは赤ちゃんも余計に泣いてしまいます。母親が安心して心を開いてくると、赤ちゃんもそれを察して「この人は大丈夫なんだ」と落ち着いてきます。母親のイライラは赤ちゃんにも移るのです。ですので「早く切り上げて終わりにしよう」などと思わないことが大切です。心の中で「大丈夫だよ。きみ、かわいいねぇ、お友達になろうね」とつぶやきながら微笑んでいると、ある一瞬でも泣きやむものです。でも、心からそう思わないと、赤ちゃんには通じませんよ。それから、心の中でつぶやいてくださいね。声に出してつぶやいていると、母親にはきっと「この先生、危ない人かも」と思われますからね。

　健診に限ったことではありませんが、自分が穏やかに楽しく母親と児に接していると不思議とあまり泣かなくなるものです。「他の小児科の先生だと必ず大泣きするのに、なぜか先生の前では泣かないんですよ、この子」。小児科医にとって、これは最高の称賛の言葉です。

- **個人差や個別の状況を見極める**

健診において成長・発達が良好であることを確認し、授乳回数やパターンにはそれぞれ個人差があること、今行っている子育てのままでよいと確認することで母親は安心します。稀ではありますが、1歳まで母乳だけで育てようと考えている母親もいるため、この時期に鉄・亜鉛などの微量元素、ビタミン、タンパク質を母乳以外の固形食から摂取することの重要性を伝えておきます。

乳児健診を担当する医療者は、特に母乳で育つ児の特徴をよく理解しておくことが大切になります。しっかりと不安を解消してもらえるよう、説明してあげてください。

1 成長の評価

a 体　重

6カ月健診では3～4カ月健診からどれくらい体重が増えているかをチェックすることになります。母乳だけで健康に育つ児の生後4～6カ月の体重増加は1日に18～30gです。生後5～6カ月では、出生体重の2倍となります。発育不全（failure to thrive；FTT）が疑われる場合は、表-1を参考にしてください。

もし、母乳で育っている児で、体重増加不良を認める場合には、栄養摂取を増やすように考えなければなりません。そうはいっても、生後6カ月を過ぎてから人工乳を加えるよりは、食べることを進めていくように促します。

表5-1　生後6カ月以降のFTTの定義

- 体重または身長が－2SD以下の状態が持続
- 生後6カ月未満の児では56日間以上
- 生後6カ月以上の児では3カ月以上

b 身　長

3パーセンタイル以下が低身長となりますが、この時期の身長測定は誤差が大きいという問題があります。体重と同様に、低身長の評価を行う際には、その時点での身長だけでなく、どのように身長が伸びてきているのかを確認することが大切になります。成長率の低下は、成長率が年齢相当の－1.5SD未満になった場合を示します。ただし、乳児期の標準成長率のデータはありませんので、やはり成長曲線にこれまでの身長をプロットして、判断することになります。この時期に低身長を示す場合は、体重増加も良くないこと

Don't worry mam!
お母さんの心配事

寝返りをしないのは太っているから？

周りの赤ちゃんが寝返りしているのに自分の子が寝返りしないと、不安になりますね。満7カ月頃には90%の赤ちゃんが寝返りをし始めます。そうはいっても、寝返りには個人差があり、遅い場合は、9カ月になってやっとできたという子もいます。お母さんがおっしゃるように、太った赤ちゃんは、運動の発達が少しゆっくりしていることもあります。また、うつぶせが嫌いな赤ちゃんは寝返りをしたがりません。

寝返りを始めるのがちょっとくらい遅めでも、あるいはまったく寝返りをしなくても、これから先の発達や発育に影響するわけではありませんから、あまり心配しないでください。

が一般的です。もし、母乳で育っている児で、体重増加不良とともに身長の伸びが認められない場合には栄養摂取を増やすようにします。

乳幼児期に低身長を起こすことが多い疾患（表5-2）[25]と精査が必要な低身長（表5-3）[25]を挙げます。

これらに当てはまらない場合は経過観察になります。母親・父親、兄姉がいれば兄姉を含めて、この時期の身長がどのような伸び方をしていたかも確認してください。

表5-2 乳幼児期に低身長を来すことの多い疾患

1. 体質性低身長症、家族性低身長症
2. SGA性低身長症
3. 内分泌疾患
   成長ホルモン分泌不全性低身長症
   甲状腺機能低下症
   尿崩症
   下垂体機能不全症
   偽性低アルドステロン症　など
4. 先天性代謝異常症
5. 先天性心疾患
6. 先天性腎疾患
7. 消化器疾患
8. 骨系統疾患
   軟骨無形成症　など
9. 神経・筋疾患
10. 染色体異常症
    ダウン症候群
    ターナー症候群　など
11. 奇形症候群
    ラッセル・シルバー症候群
    精神発達遅滞を伴う奇形症候群
12. 精神社会的原因による低身長
    愛情遮断症候群

［望月弘．低身長・肥満．小児科臨床．62, 2009, 2714-20より］

表5-3 精査が必要な低身長

- −3SD以下の低身長
- 著明な成長率の低下、あるいはほとんど伸びない。
- 低血糖の症状がある。
- 原因不明の発達の遅れ
- 何となく元気がない。

［望月弘．低身長・肥満．小児科臨床．62, 2009, 2714-20より］

2 神経学的な評価

a 粗大運動

- **6カ月**
- 両足を持ち上げて手で足を握ったり、口に持っていったりするか。
- 少しの間なら支えがなくても座ることができるか。
- うつぶせにすると両手で支えて、お腹のほうまで持ち上がるか。
- おもちゃに手を伸ばして取るか。
- おもちゃを一方の手から反対の手に持ち替えるか。
- **7カ月**
- 一人で座れるか。
- 両手に持っているものを打ち合わせて遊ぶか。
- 腹ばいにすると回転するか（pivot turn）。
- **cloth on the face test**

児の顔にやや厚めのタオルなどを掛けたとき、手で取るかを見ます。右手で取ったら、次は医療者が右手を握って左手でも取れるか見てみましょう。両方できたら、「すごいねー」と頭をなでてあげましょう。

- **引き起こし**

児の手を握って引き起こしていきます。にっこり笑いかけて、「おっきしてお母さんを見ようねー」と話しかけながらやってみましょう。泣いて嫌がると後ろに反ってしまうので、わかりにくくなります。このとき、上肢は屈曲して力が入っているのがわかります。起き上がってくると母親の顔が見えてくるので、泣かずにがんばることも多いものです。

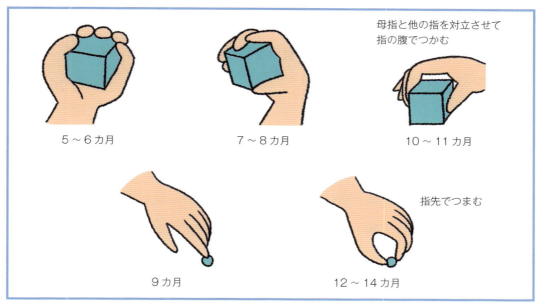

図5-1 つかみ方の発達

- **おすわりの様子、視性立ち直り反射**

少し安心したところでおすわりの様子を見てみましょう。体幹はまだ彎曲して、両下肢はやや伸びた状態です。両下肢の間を手で支えた状態でおすわりをしますが、生後6カ月ですと前につぶれてしまうこともあります。逆に、泣いてしまうと後ろにひっくり返ってしまいます。機嫌が悪くなりそうであれば、医療者は後ろに回って母親と向き合うようにします。ある程度座れることを確認して、側方に児を傾けて視性立ち直り反射を見ます。

b 微細運動

3cmくらいの積み木をつかませてみます（図5-1）。まだ、この頃は手のひら全体でつかむかもしれません。生後6～7カ月くらいになると親指を使って他の4本の指とで握るradial palmar graspができるようになります。

c 社会性

この時期は他人とのコミュニケーションが始まってくる時期です。人見知りも始まってきますが、母親への信頼関係も目に見えて表れてきます。

- **6カ月**
- 知らない人を見るとじっと顔を見つめて怪訝そうな顔をするか。
- 母親の姿が見えなくなると、覗き込んで探すか（知らない人と自分を守ってくれる人をきちんと見分けるようになる）。
- **7カ月**
- 声を出して注意を引くか。
- 人見知りをするか。
- 母親が手を出すと喜んで身体を乗り出すか。

3 確認しておきたいこと

- **予防接種の進み具合**

1カ月健診で予防接種の大切さを伝えて、6～7カ月健診ではどの程度終わっているかを確認しましょう。BCG・四種混合を3回、

OKワード NGワード

お母さんを否定する言葉を使わない

OK 「何か困っていることは他にありますか？」
NG 「他に何かありますか？」

OK 「そうですね。それは大変でしたね」
NG 「そうですか……」

OK 「これは○○○○なんですよ。ちょっと頭の隅にとどめておくといいかもしれませんね」
NG 「そんなことも知らなかったのですか？」

OK 「お母さんも大変ですよね。できれば、ここをこんなふうにかまってあげるといいですね」
NG 「それはお母さんがちゃんと相手をしてあげていないからですよ」

表5-4 6カ月でワクチンデビューしていない場合の接種スケジュール（例）

6カ月10日		7カ月8日		8カ月6日		8カ月13日
Hib① PCV13① DPT-IPV① B型肝炎①	4週間	Hib② PCV13② DPT-IPV② B型肝炎②	4週間	DPT-IPV③	1週間	BCG

11カ月10日	1歳	1歳2カ月8日	1歳8カ月6日
B型肝炎③*1	PCV13③*2 MR① 水痘① おたふく①	Hib③*3	DPT-IPV④

Hib：ヒブワクチン、PCV13：肺炎球菌ワクチン（13価）、DPT-IPV：四種混合、MR：麻疹・風疹混合
＊1　1回目から139日（20週）以上あける。
＊2　2回目から60日以上あき、かつ1歳〜。
＊3　2回目から7カ月以上あいている。
※DTP-IPV追加接種は3回目の約1年後（6カ月後から接種可能。ただし、自治体によっては1年以上間隔をあけるようにしているところがある）。

ヒブワクチン、肺炎球菌ワクチンを3回、B型肝炎ワクチンを2回すべて終了しておいてほしいものです。6カ月になって予防接種を受けていない場合は、すぐにヒブワクチン、肺炎球菌ワクチン、B型肝炎ワクチン、四種混合を接種します（表5-4）。

● **生後6カ月を過ぎたら補完食を始める**

もちろん無理強いはよくありません。赤ちゃんの食べたいという気持ちを表出できる状況を提供することが大切になります。

● **兄姉がいる場合**

兄姉がいると、熱を出すことも多くなって

FAQ

インフルエンザ桿菌、肺炎球菌、結核、はしか（MR：麻疹・風疹混合）、四種混合（百日咳、破傷風、ジフテリア、ポリオ）は、赤ちゃんがかかると命にかかわったり、後遺症を残したりする心配があるので、必ず予防接種を受けるように言われました。それ以外のワクチンは、うたなくても大丈夫でしょうか？

A 正解は「うてるものは全部うつ」でしょう。

- ロタウイルス：嘔吐・下痢を起こし、大人もかかります。嘔吐・下痢以外に痙攣を起こすことも珍しくなく、1歳までの赤ちゃんがかかると結構大変です。2020年10月から定期接種となりました。
- B型肝炎ウイルス：血液から感染することが多いのですが、子どもの場合、知らないうちに感染していることもありますので、2016年10月から定期接種となりました。1歳までに3回（生後2カ月、3カ月、7〜8カ月）接種します。
- 水痘（みずぼうそう）：肺炎や細菌の二次感染をうけることもあります。伝染力が強く、保育園で一気に広がることもよくあります。すべての水疱（みずぶくれ）がかさぶたにならないと保育園では預かってくれません。予防しておいたほうが、仕事を持つお母さんにとっては安心です。2回接種が定期となりました（通常、1歳と1歳半）。
- 流行性耳下腺炎（おたふくかぜ）：おたふくかぜは難聴の原因となるため、予防することが大切です。また、大人になってからかかると卵巣炎や精巣炎など合併症が増えてきます。

同時接種は本当に大丈夫なのでしょうか？

A 日本小児科学会は以下のように説明しています。

①複数の予防接種を同時に行っても、それぞれの効果は変わりません。
②複数の予防接種を同時に行っても、赤ちゃんに不都合なことは増えません。
③一度に接種できる予防接種の数に制限はありません。

早く必要な回数を接種することができますので、上に兄姉がいたり、仕事に忙しいお母さんには便利ともいえるでしょう。

きます。兄姉は外から帰ってきたらよく手を洗うこと、3歳以上であればうがいをすることをお願いしましょう。

● 赤ちゃんを預ける場合

生後6カ月を過ぎると、赤ちゃんを保育園・託児所に預けることが増えてきます。預かってもらえるところが冷凍母乳を扱ってくれるか、確認しておきます。もし扱ってもらえるのであれば母乳を搾って冷凍しておくとよいでしょう。冷凍庫で半年間は保存可能です。

また、保育園に預けるために授乳自体をやめてしまう母親も珍しくありません。これでは赤ちゃんに感染のリスクを高めてしまうので、母親の仕事復帰にもマイナスとなることを伝えてください。

4 見落としてはいけないポイント

a 命に関わるもの～機能獲得に影響を及ぼすもの

- **眼（視力）**
  - 白色瞳孔（網膜芽細胞腫）
  - 黒目の左右差（小眼球）

  これらがある場合、小児眼科医に紹介してください。

b 機能獲得に影響を及ぼすもの

- **麻痺・筋力低下**

  上肢の麻痺はcloth on the face testで左右別に評価することができます。下肢の麻痺は、下肢を持ち上げるか（bottom lifting）、手で足をつかむかということで確認します。筋力低下は引き起こし反射、座位の様子で見ます。これらに明らかな異常があれば、小児神経科医に相談し、異常とはいえないが気になるときは1カ月後にフォローします。

5 母乳育ちの赤ちゃんの健診ポイント

- **6カ月になる前**

  一般的に無理に起こして授乳する必要はありませんが、児が欲しがるなら夜間の授乳をやめる必要もありません。

- **6カ月前後**

  補完食を開始する時期です。一般的には授乳回数が減ってきます（あまり減らない児もいます）。夜寝る前に長く母乳を飲むことが多くなります。夜中にさらに頻繁に起きて母乳を飲み始めるかもしれません。

- **6カ月を過ぎたら**

  だんだん昼間の授乳回数は減ってくることが多いのですが、夜寝る前の授乳に時間がかかるようになります。また、それまで夜中に寝ていた児が、頻繁に起き出すこともよくあります。この理由としては、歯が生えることや、この時期から起こる「分離不安」と関係しているという考えもあります。

6 7～8カ月健診（6～7カ月健診が遅くなってしまった場合）

a 成長の評価

- **体　重**

  体重増加パターンは生後6カ月以降、ゆっくりとなります（表5-5）[26]。

- **発　達**

  この時期は人からの語りかけなどに対しても、いろいろと対応をしてきます。コミュニケーションもとれるようになります。おすわりはしっかりしてきます。

- **粗大運動**
- **座位**：生後8カ月くらいになると徐々に体幹がまっすぐに安定し、両上肢を離したり、後ろに振り返ったりすることもできるようになってきます。この頃になっても前に倒

表5-5 母乳で育つ児の体重増加（g/日）

	女児	男児
6～7カ月	12	11
7～8カ月	10	12
8～9カ月	8	9
9～10カ月	11	10
10～11カ月	8	6
11～12カ月	7	9

［American Academy of Pediatrics/American College of Obstetricians and Gynecologists. "Maintenance of breastfeeding :the infant". Breastfeeding Handbook for Physicians. 2nd ed. 2013, 111より］

れてつぶれてしまう場合は、物を取るときの様子や、下肢を持ち上げるか、うつぶせにしたときに頭から胸まで上げるかなど全体の筋力を確認し、これらが大丈夫であれば1カ月後に経過を見ます。
- うつぶせ：臍を中心に左右に身体の位置を変えることができるようになります。これをpivot turnといいます。7〜8カ月では、ずりばいをする児も珍しくありません。
- 微細運動

生後8カ月くらいになると、人差し指を使って物をいじることができるようになります。

母乳で育つ児の特徴

生後7〜8カ月になると、いつでもどこでも母乳を欲しがるようになります。自分から行動を起こして母乳を飲もうとします。乳首を噛んで母親を困らせるのもこの時期です。母親の反応に驚いて、児が哺乳ストライキ（ナーシングストライキ、p.148参照）を起こすこともありますが、卒乳したと誤解しないように注意してください。支援者は、正常な発達行動の一つとも言えることと、上手な対処方法をしっかり伝えてください。

7 補完食（離乳食）について知っておきたいこと

a 開始にあたって

- 5〜6カ月に開始する

厚生労働省が2019年に出した『授乳・離乳の支援ガイド』でも、「生後5〜6カ月が適当」と記載され、それまでは果汁も含めて「離乳準備食」は必要がないとされています。生後6カ月間母乳だけで育てた児のほうが、生後4カ月間母乳だけで育てた児よりも肺炎にかかりにくいという報告もあります[27]。また、乳児の腸管の粘膜が成熟するのは生後6カ月くらいです。もちろん児によっては、生後6カ月以前から補完食を始めても、問題なく進められることもあります。

- 補完食を始める時期の目安

親が"子どもの食べたがっているサイン"に気づくように進められるような支援が重要です。生後5〜6カ月で、頻繁に授乳してももっと飲みたがる場合は、そろそろ固形食を始めるよう「提案」してみてはいかがでしょう（病気以外のことであれば、母親に「提案」をするのが乳児健診と考えてください。「指導する」「教育する」といった概念は取り去りましょう）。

補完食を始める準備ができた児は、母親が食事をしていると身を乗り出して口を開けるようになってきます。この頃には舌を前に押し出す反射がなくなっており、支えがあれば

お母さんの心配事

あまり食べてくれません

子どもが本当に空腹か、お菓子やジュースを与えていないか、十分に体を動かしているかどうか確かめてみましょう。おかゆから始めなければと考えがちですが、離乳初期だとおかゆを嫌がる子どももいます。その場合は軟らかいご飯から始めてみるのも一法です。母乳で育ってきた児はリゾット様の状態のほうが嫌がらないこともあります。

補完食の軟らかさは赤ちゃんの発達に合わせて

　母親がスプーンで食べさせる場合は、食べ物の大きさや固さを感じやすいように舌の前のほうにのせるように説明します。口を無理やり開けさせて食べ物を口の奥に押し込むのはやめるように伝えます。

　直接乳房から飲んできた児は、哺乳びんで育ってきた児に比べて、食事を始める時期には、口の周りの筋肉が鍛えられています。このため、ゆでたジャガイモやカボチャなど、舌と上顎でつぶせる程度の固さから開始できることもあります。児の口の動き方も見ながら進めるよう伝えましょう。ただし、同じ月齢でも食べる機能の発達具合は児によって異なっています。児の発達具合を評価した上で、食物の軟らかさを考えるよう伝えることも大切です。

図5-2 補完食を与えるときの姿勢

表5-6 補完食開始時の母親の心得

- 食べることを無理強いしない（母親の「食べさせたい」という気持ちを優先しない）。
- 児のペースで食べる（無理強いされると、母乳以外の食べ物を嫌がることも）。
- 食事の場を楽しくする。
- がんばって食べたときは、1さじであろうと、ほめる。

おすわりもできます（図5-2）。
　このような状態であれば、スプーンなどを口に入れても舌で押し出さないので、食べ物を口に受け入れることができるでしょう。

b 覚えておいてほしいこと

　補完食を始めるにあたり、母親に伝えて欲しいことがあります（表5-6）。

● 忙しくない時間帯から始める

　家族と一緒の食事の際、口を大きく開けて体を乗り出してくれば、少しずつ与えてみます。それからだいたいの食事の時間を決めていくように提案します。母親によっては、落ち着いた環境で食事を与えるほうがリラックスできることもあるでしょう。1日のうち忙しくない時間帯、例えば午前10時頃や、お昼過ぎなどに与えるのもいいですね。新しい食材を始めて与えるときは、アレルギー反応などが起こった場合にすぐ受診できるよう、平日が望ましいことを伝えます。

● 膝の上で食べさせてみる

　母親と赤ちゃんが正面に向かい合って一対一で食べさせようとしても、赤ちゃんは食事に興味を示してくれないかもしれません。赤ちゃんの前に座って、口を開けた瞬間に「待ってました」とばかりにスプーンで口内に食べ物を入れ込むのは"わんこそば"のようにも見

えます。これでは楽しく食べることは難しいでしょう。母乳で育てられている児はいつも母親の膝の上で授乳されているので、同じ状況で新しいことを経験していくほうがスムースにいくこともあるでしょう。

● 授乳と食事の順番

これまで医療者は"まず食事を食べさせて、それから授乳をする"というように"指導"していたと思います。そうはいっても、食事に慣れるまでは、授乳後に児が落ち着いてから食事を与えたほうが落ち着いて食べてくれることもあります。空腹でイライラした状態の児に食べさせようとしても難しいかもしれませんね。児が食べる量が増えて、食べることに興味と意欲を示してくれるようになったら、その状況に応じて授乳が先か、食事が先かを決めていくように伝えてください。

C 補完食の進め方

● 新しい食品を増やすとき、固さを変えるときは少しずつ

一般的に補完食の開始はアレルギーの心配の少ないおかゆや、軟かいご飯から始めます（アレルギーを起こしやすい食物には、卵・牛乳・小麦があります）。

新しい食品を始めるときには1さじずつ与え、子どもの様子を見ながら量を増やしていくように伝えましょう。慣れてきたらジャガイモなどの野菜、果物、豆腐、白身魚など種類を増やします。補完食の固さを変えていくときは少しの品目からにします。一度に全種類の固さが変わったら、赤ちゃんはついていけないかもしれません。

適切な補完食の条件を表5-7にまとめます。また、補完食の進め方については、図5-3が"目安"となります。

お母さんの心配事

補完食の軟らかさは？

8〜9カ月になると、上の子が食べていたおにぎりを横取りして食べたりする赤ちゃんもいます。食べ物の形態も過度に神経質にならなくてよいのかもしれませんね。

表5-7 適切な補完食

- 熱量、タンパク質、微量栄養素に富んでいる（特に鉄、亜鉛、カルシウム、ビタミンA、ビタミンC、そして葉酸）。
- 衛生的で安全なのも
- 味は薄めのもの
- 子どもが食べやすいもの
- 子どもに好まれるもの
- その地域で手に入りやすいもの
- 準備しやすいもの

離乳の開始 ▶ 離乳の完了

以下に示す事項は、あくまでも目安であり、子どもの食欲や成長・発達の状況に応じて調整する。

		離乳初期 生後5〜6カ月頃	離乳中期 生後7〜8カ月頃	離乳後期 生後9〜11カ月頃	離乳完了期 生後12〜18カ月頃
食べ方の目安		○子どもの様子を見ながら1日1回1さじずつ始める。 ○母乳や育児用ミルクは飲みたいだけ与える。	○1日2回食で食事のリズムをつけていく。 ○いろいろな味や舌ざわりを楽しめるように食品の種類を増やしていく。	○食事リズムを大切に、1日3回食に進めていく。 ○共食を通じて食の楽しい体験を積み重ねる。	○1日3回の食事リズムを大切に、生活リズムを整える。 ○手づかみ食べにより、自分で食べる楽しみを増やす。
調理形態		なめらかにすりつぶした状態	舌でつぶせる固さ	歯ぐきでつぶせる固さ	歯ぐきで噛める固さ
1回当たりの目安量					
Ⅰ	穀類(g)	つぶしがゆから始める。すりつぶした野菜なども試してみる。慣れてきたら、つぶした豆腐・白身魚・卵黄などを試してみる。	全がゆ 50〜80	全がゆ 90〜軟飯80	軟飯90〜 ご飯80
Ⅱ	野菜・ 果物(g)		20〜30	30〜40	40〜50
Ⅲ	魚(g)		10〜15	15	15〜20
	または肉 (g)		10〜15	15	15〜20
	または豆腐 (g)		30〜40	45	50〜55
	または卵 (g)		卵黄1〜 全卵1/3	全卵1/2	全卵1/2〜 2/3
	または乳製品 (g)		50〜70	80	100
歯の萌出の目安			乳歯が生え始める。	1歳前後で前歯が8本生えそろう。	離乳完了期の後半頃に奥歯(第一乳臼歯)が生え始める。
摂食機能の目安		口を閉じて取り込みや飲み込みができるようになる。 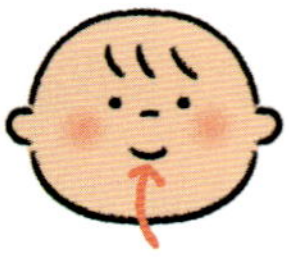	舌と上あごでつぶしていくことができるようになる。 	歯ぐきでつぶすことが出来るようになる。 	歯を使うようになる。

※衛生面に十分に配慮して食べやすく調理したものを与える。

図5-3 離乳の進め方の目安 [厚生労働省『授乳・離乳の支援ガイド』2019年3月]

FAQ

補完食編

手づかみで食べさせていると、スプーンやフォークが使えなくなりますか？

Ⓐ もともとヒトは手で食べていたのですから、食べる基本は手なのです。スプーンやフォークは成長に応じて自然と使えるようになります。もっと言えば、手を器用に使って食べ物を口に運ぶことを通して、スプーンやフォークの使い方を学んでいくのです。手づかみで楽しく食べているのであれば、それでいいのです。無理に使わせようとすると、せっかく楽しい食事の時間が嫌な時間になってしまうかもしれません。

上の子は卵アレルギーがあります。下の子の離乳食はどう進めたらいいですか？

Ⓐ 食物アレルギーガイドラインでは、たとえアレルギーのハイリスクであっても離乳食は通常どおり生後5〜6カ月から開始するよう書かれています。もちろんお母さんも心配でしょうから、卵黄のみ、または卵を使った加工食品、例えばカステラやたまごボーロなどの焼き菓子やつなぎ食品（かまぼこ、ハンバーグ）などを少量から、平日午前中に与えて様子を見るとよいでしょう。

卵アレルギーがあるとわかったら、カステラ、ケーキ、プリンなどのお菓子にはほとんどのものに卵が使われていますので、与えないようにします。マヨネーズ、練り製品のかまぼこ、はんぺん、ちくわなどには卵白が入っていることが多いので避けましょう。また、ほとんどのハムにはつなぎに卵白が入っています。なお、鶏肉やイクラは心配ありません。薬を処方してもらうときは、主治医に卵アレルギーのある旨を伝え、塩化リゾチームが含まれていないか注意してください。

離乳食をあまり食べませんが、栄養的に問題はありませんか？

Ⓐ あまり食事が進まず体重の増え方も思わしくないようであれば、鉄が不足することで貧血になることもあります。そのような場合は、生後9カ月を目安にして一度小児科を受診してみてください。周囲の人から言われても、授乳はやめる必要はまったくありません。食が細い児は、母乳をやめても十分量の食事をすぐに摂取できるとは考えにくいです。優れた栄養源である母乳をやめてしまうと、さらに栄養がとれなくなってしまいます。それだけでなく、母乳を続けることによる恩恵も与えられなくなってしまいます。

新しい食品を食べさせようとすると嫌がります。どうしたら食べてくれますか？

Ⓐ 子どもは母親が食べているのを見ると、安心して食べることもできます。ですので、母親の分とお子さんの分を同じお皿に盛り付けてあげるとよいでしょう。もちろん、お子さんの味付けは薄めが望ましいので、お子さん側と母親側との間に仕切りがあるようなお皿だといいかもしれません。また、自分で確認してから食べたいというお子さんもいます。母親がまず手づかみで食べて、「おいしーい！」とにこにこしていると、それを見てお子さんも手を伸ばしてくるかもしれません。新しい食品を食べさせる際も、子どもの発達に応じた固さにすることは、言うまでもありませんね。

おっぱいばかり飲んでいて食事を嫌がりますが、どうしたらいいですか？

🅐 焦って無理強いすると子どもはますます嫌がってしまい、悪循環に入ってしまうかもしれません。これまで時計を見ないで子どもを見て、母乳を飲ませてきたように、離乳食（補完食）を始めるときも、カレンダーではなく、まず子どもを見ましょう。生後6カ月を過ぎて、授乳回数が増える、支えながらおすわりができるようになる、食べ物を欲しそうにする、手で何かをつかんで口に入れようとする、そういう時期がチャンスです。手でつまみやすい食事（表5-8）を用意してあげましょう。子どもの食べたい気持ちに応えるように食べ物をあげてみましょう。

また、食事の前に授乳し、嫌がらないようなら片方の乳房でいったん中断します。そして、バナナや蒸したサツマイモなど子どもが好みそうなものを与えてみましょう。固さも子どもの食べる機能に合ったものでないと受け付けてくれません。口唇や口の動かし方を見て、表5-9を参考にして進めてみましょう。少し大きい保育園児や幼稚園児と一緒に食べる機会を持つと、つられて食べたり、まねをして食べたりしようとするかもしれません。

いわゆる乳頭混乱を起こした赤ちゃんの口の中に乳頭・乳輪を無理矢理押し込んでも嫌がるだけです。むしろ、哺乳びんで少し落ち着いてから"おっぱい"のほうがやりやすいです。離乳食もそれと同じです。まずお腹がすいて怒っているときに食べさせるよりも、おっぱいで少しお腹が落ち着いてから食べるほうがよいこともありますね。

表5-8 手でつまめる食事の一例
- 軟らかく煮たニンジンやカボチャ
- 軟らかくゆでたインゲンやアスパラガス
- 細かく切った食パン
- ブロック状に切った軟らかい食べ物（野菜や魚の煮付けなど）

表5-9 固さのステップアップの目安
- 初期（ドロドロ・ベタベタ）から中期（舌で押しつぶせる固さ）
  上下の唇をしっかり動かし、口唇の形が少しずつ薄く扁平な形に変化したとき
- 中期から後期（上下の歯肉ですりつぶして食べられる固さ）
  外から見ると口角を引く様子が左右非対称となり、舌運動も片側の歯肉の上に食物を運ぶための左右の動きが見られるようになったとき

赤ちゃんの不思議③　味覚（その2）
母乳の飲み具合で赤ちゃんの好き嫌いもわかる

　妊娠中も食べたもので羊水のにおいは変化します[28]。そのため、出産後にお母さんが食生活を極端に変えると、赤ちゃんの哺乳意欲が低下することもありえます。子宮内で獲得したにおいや味の好みは生まれた後も残り、しばらくは羊水のにおいを好みます。母乳のにおいもお母さんが食べたものの影響を受けますので、出産を機に食生活を変えると母乳のにおいが羊水とまったく違うにおいになってしまうのです。出産後に食生活を大きく変えてしまうと児が飲まないというのは、このような理由があるのです[28]。

　通常の食べ物であれば、授乳中であっても特に食べてはいけないというものはありませんが、普段お母さんが食べ慣れていない種類の香辛料をたくさんとったりすると、赤ちゃんは授乳を嫌がったり、むずかったりするかもしれません。その場合、この香辛料は赤ちゃんも嫌いなのだなとわかるわけです。授乳中のお母さんが、野菜、果物とまんべんなくとっていくと、赤ちゃんも母乳を介していろいろなにおい、味に慣れることができますので、好き嫌いも減るかもしれません。

　このように、母乳で育てていると赤ちゃんは自然とお母さんの食事により味の変化を経験しています。以前言われていた「いろいろな味を覚えるために果汁・スープを与える」などということは母乳で育っている赤ちゃんには不要なのです。

麻疹発症予防のワクチン接種

　麻疹曝露後の発症予防では、麻疹ワクチンを生後6カ月以降で接種可能です。ただしその場合、その接種は接種回数には数えず、1歳以上2歳未満と小学校入学前の1年間に接種します。

6〜7ヵ月 健診チェックリスト

計測
- [ ] 体重：　　　　　g
- [ ] 身長：　　　cm　　[ ] 頭囲：　　　　　cm

問診表に記入してもらう項目
- [ ] 栄養方法：[ ] 母乳（　　　回）
　　　　　　　[ ] 混合栄養（母乳　　回、人工乳：　　mL×　　回）
　　　　　　　[ ] 人工乳のみ（　　mL×　　回）
　　　　　　　[ ] 離乳食（　　回）

お母さんへの質問事項
- [ ] 両手をついて背を丸くして、わずかの間座れますか？
- [ ] どちらかに寝返りをしますか？
- [ ] 差し出したおもちゃを手を伸ばしてつかみますか？
- [ ] 物を左右の手で持ちかえますか？
- [ ] お母さんが「おいで」をすると喜んで体を乗り出しますか？
- [ ] 新聞を読んでいると引っ張って破りますか？
- [ ] 母親が名前を呼ぶと振り向きますか？
- [ ] 家族といるときに話しかけるような声を出しますか？
- [ ] 眼の位置がおかしいと感じますか？
- [ ] 瞳が白っぽく見えますか？

医学的なチェック項目
- [ ] 引き起こし反射：肘関節・膝関節が屈曲し、おなかが前に出るような感じ。
- [ ] 視性立ち直り反射：支えて座らせてゆっくり左右に倒していくと、身体は傾斜しても顔は垂直位
- [ ] 垂直抱き：ひざの上に立たせると、ぴょんぴょん跳ねる。
- [ ] 水平抱き：頸、体幹、下肢ともに伸展傾向
- [ ] おもちゃを見せると、手を伸ばしてくるか。
- [ ] 顔に布をかける：両手でとるか、片手でとる。

6 9〜10カ月健診

はじめに

● 新しい世界に挑戦する時期

8カ月を過ぎてくると、人見知りが始まり、母親から離れることへの不安を表すようになってきます。ちょうどこの頃から、移動する能力（はいはい）が発達し、周りの人や物にも関わるようになります。新しい関わりに不安や恐怖を感じることも出てきます。

このようなときは、母親が安全基地として大切な役割を果たします。つまり、母親に近づき、触れることで不安や恐怖心を取り除くわけです。不安そうに母親を見つめているわが子をしっかりと抱き上げてあげることで児の不安は和らぎ、新しいものへ挑戦することにつながっていくのです。

● 愛着形成が始まる

他の月齢の項目でも取り上げていますが、生後早期の母親と児の触れ合いが大きな基礎となり、その上に愛着は積み重ねていくのです。愛着形成は生後8カ月過ぎから形づくられてきますが、その程度によって、その子がどのように周りの人や物と関わるかに影響を与えてきます。そういった意味でも、この時期に健診を行う医療者は、児の発育・発達の程度や疾病の有無をチェックするだけでなく、母親と児の関わりがどうなっているかに注意することも大切です。

1 成長の評価

a 体重

体重増加は月に200〜300gと、ゆっくりになってきます。母乳で育っている児で生後3カ月くらいまでは平均よりかなり大きかった児も、この頃になると平均に近づいてくることが多くなります。

b 身長、その他

身長・頭囲も成長曲線にプロットして評価します。この頃は、身長・頭囲を測るときに強い抵抗に遭うことも多いものです。少しでも変かなと思ったら、もう一度測定しましょう。

2 神経学的な評価

a 粗大運動

表6-1の点について確認します。

b 微細運動

小さい積み木をつかませてみます。小さいものをつまむということは、視力の検査も兼

表6-1 9〜10カ月健診時の粗大運動

- 支えなしでお座りをするか
- 座っているときに後ろから声をかけると振り向くか
- 後追いをするか
- つかまり立ちをするか
- 手と膝で四つん這いをするか
- 四つん這いで身体を前後に揺らすか

ねています。また、人差し指で物を突くことも見られます。生後10カ月くらいになると、親指と人差し指を使ってつまむこと（pincer grasp）ができるようになります（p.133参照）。脳性麻痺や精神発達の遅れを伴う児では、把握運動が遅れることも多く見られます。

c 社会性

- 目と目が合って、微笑むか。
- "バイバイ"や"パチパチ"をまねするか。
- 人見知りをするか。

d 言語

- 喃語（bubbling）は出ているか。
  「ブー」とか「パッパッ」といった濁音や破裂音が出ることは、聴覚の評価にもつながります。
- 母親が「いけません」と言うと、手を引っ込めて母親の顔を見るか。

3 見落としてはいけないポイント

a 機能獲得に影響を及ぼすもの

- **聴力**
- 喃語（bubbling）が出るか。
  この時期にbubblingがないと聴覚に異常がある可能性があります。後ろから呼びかけると振り向くか、「だめ！」と叱ると手を引っ

Don't worry mam! お母さんの心配事

まだはいはいをしません

はいはいをせず、移動は主に座ったまま、両足で船をこぐように前進する赤ちゃんもいます。このタイプの赤ちゃんを「シャフリングベビー」といいます。そのままはいはいをせずに、1歳半くらいでひとり立ち、ひとり歩きを始めることがほとんどで、珍しいことではありません。細かな運動や言葉の発達などが正常なら、まったく心配はいりません。

プラスワン　はいはいと認知発達

腹臥位にして、上肢で身体を支える状態になるのは生後5～6カ月です。9カ月くらいになると、この状態で重心の前後への移動ができるようになり、上肢の支持もよりしっかりすることで、四つん這いになっていきます。これによって、腹臥位→四つん這い→座位が可能となります。

生後8カ月で、まだはいはいができない赤ちゃんの身体の左側にコップを置き、そこにあることに注意を向けてから、気づかれないようにコップを右側に移しても左側を探します。はいはいができて数週間してから同じ実験を行うと、右側を見ます。小さなおもちゃに布をかぶせて見えなくすると、同じ月齢でも、はいはいができる児では布を取っておもちゃを取るのですが、はいはいがまだの児はこのようなことはしないようです[29]。はいはいができるということは、単なる運動発達だけでなく、自分の身体を中心にものを考える段階から卒業することも意味しているのですね。

込めるかなど、日常生活で聞こえているのか確認してください。

b 治りにくくなるもの

● 貧　血

耳介が白い場合は、毛細血管再充満を確認します。体重の増えも悪いという場合は要注意です。補完食（離乳食）が適切に進められているか、鉄分の多い食材が与えられているかを確認してください。

● 予防接種

四種混合、ヒブ、肺炎球菌が3回、そしてBCGが終わっていることを確認しましょう。母親の判断でまったく受けていないこともありますので、予防接種の必要性について説明しておくとよいでしょう。

4 母乳育ちの赤ちゃんの健診ポイント

この時期の母乳育ちの赤ちゃんには、心身の発達に伴って、特有の行動が見られることがあります（表6-2）。人見知りをして新しい環境を嫌がることもあり、周囲の様子に気を取られやすくなります。このため頻繁に授乳を中断することも多くなってきます。フォローアップミルクは補完食が順調に進んでいれば必要ないことを伝えてください。ナーシングストライキと、噛まれたときの対処について説明しておくとよいでしょう。

FAQ 便が硬くて困っています。

A うんちが硬いときには、うんちが軟らかくなるように飲むもの、食べるものの工夫をしましょう。うんちがスムーズに出るような食事には、次のようなものがあります。

- 繊維質の多いもの：サツマイモ、豆類など
- 腸内発酵を起こすもの：サツマイモや乳製品など
- 水分の多いもの：寒天やゼリー類など

食べる量が増えてきたと感じても、授乳もしっかり行います。この時期、子どもの一番の栄養源は母乳であることに変わりありません。お腹を動かすために、身体を動かすことも大切です。身軽な服装でお母さんと外気浴、お散歩も楽しんでみましょう。

OKワード NGワード

「なぜ？」「どうして？」とつきつめない

OK　「今は母乳はやめたのですね。差し支えなかったら、やめた理由をお聞かせいただけますか？」

NG　「どうして母乳をやめてしまったんですか？」

● 心の傷のかさぶたをとるようなもの。気持ちに共感し、対応策を相談します。

Don't worry mam! お母さんの心配事

母乳育ちは鉄分不足？

生後6～24カ月の赤ちゃんが母乳だけを与えられていると、鉄欠乏状態となります。鉄が不足すると貧血になるだけでなく、認知能力の低下、運動障害、社会性や情緒発達に影響を与える可能性もあります[30]。特に生後9カ月以降は鉄を多く含む食材を意識してあげたいものです。レバー、赤身の肉、魚肉、しらす干し、シジミ、大豆、ほうれん草、のり、ひじきは鉄を多く含みます。吸収率を高めることを考えるのであれば、ビタミンCを多く含む野菜（ジャガイモ、ブロッコリー、キャベツ、菜の花、小松菜、ほうれん草）、果物（イチゴ、キウイ）を一緒に与えるとよいでしょう。赤ちゃんが食べられる固さのものを段階に応じて与えます。

表6-2 母乳育ちの赤ちゃんに特有な行動

- 9カ月頃から片手、もしくは両手で乳房を抱えながら哺乳するかもしれない。
- 10カ月くらいになると手づかみ食べができるようになる。手づかみ食べにより手と口の協調運動が発達し、自分にとって適当な1口量を調節することを学ぶ。
- ナーシングストライキを起こす。
- 乳首を嚙むようになる。

a ナーシングストライキ

今まで頻繁に飲んでいたのに、急に哺乳するのを拒否する現象をいいます。概して、児の機嫌は悪く、離乳食もあまり食べないことが多いです。普通は2～4日で治まりますが、1週間くらい続くこともあります。

● 対策

無理に飲ませようとするよりも、児が眠いときや少し眠りかかっているときに授乳するほうが効果的です。肌と肌の触れ合いを増やしたり、立ったり、歩きながら飲ませると飲むようになる児もいます。

● 提案

母乳産生を維持するために、搾乳を続けて、コップやスプーンで与えるよう伝えましょ

FAQ

Q フォローアップミルクを飲ませたほうがよいのでしょうか？

A フォローアップミルクは「離乳期に不足しがちな鉄分を供給し、牛乳に含まれないビタミンCを含みます。また、タンパク質、鉄分やカルシウムを牛乳よりも少なくし、児への負担を少なくした"牛乳代用品"」だと謳われていますので、気になりますね。しかし、鉄の必要性に関しては、乳児期の鉄欠乏貧血は生後6カ月間母乳だけで育てられた乳児には少なく、しかも母乳育児の期間が長く牛乳の消費量が少ないほど鉄欠乏は少ないこともわかっています。その理由は鉄の吸収の差にあります（母乳20％、人工乳4％）。母乳で育っている赤ちゃんにはフォローアップミルクは不要であり、日本小児科学会・アメリカ小児科学会ともに必要性を認めていません。

う。また、母乳を飲んでくれるようになるので、焦らずに待つよう伝えてください。

b 乳首を噛む

児が哺乳中、母親の乳頭は児の口の入り口よりも奥深くにあり、児の唇と歯茎は、一般的には、乳輪と皮膚の境目くらいのところにあります。児の舌は歯茎を越えて前に出るので、下の歯と乳房の間にあり、歯が生えても哺乳中は噛むことができません。児がしっかり乳房を吸っているときは、噛まれる心配はないということです。逆に言えば、乳頭・乳輪を吸うのをやめているときは、噛まれることもあります。

● 対 策

できるだけ冷静に対処し、噛まれたときに「痛い！」と大きな声をあげるのは避けます。授乳中に噛まれたら、児の口に指を入れてそっと乳房を引き離すのがよいでしょう。児は噛む前には、いったん舌を引っ込めますので、タイミングがわかってくると、かまれる前にさっと乳房から離せます。

- 大きな声を出すと、赤ちゃんは母親に遊んでもらっていると勘違いして、次の授乳でも噛んだり、逆にびっくりして乳房から飲むことを拒むようになったりすることもあります。

FAQ

9～10カ月編

歯の手入れは、いつ頃からどのように始めればいいですか？

Ⓐ 歯が生え始めたら歯の掃除を始めましょう。前歯が生えたら、ガーゼで前歯をぬぐってあげましょう。歯ブラシを嫌がらないようなら歯ブラシでもいいです。奥歯が生えてきたら、溝を磨くためにも歯ブラシを使いましょう。上の前歯が一番虫歯になりやすいので、ここをしっかりと。次に上の奥歯の脇、そして下の奥歯の舌側、最後に下の前歯です。時間帯は夕食後から眠くなり始める前がよいでしょう[31]。

実母に「早く歩けるようになるから」と歩行器の使用を勧められました。使用したほうがいいですか？

Ⓐ 「歩行の練習になる」「子どもを乗せておくと母親は手が離せて楽になるだろう」と、歩行器をプレゼントする祖父母も多いようですね。でも、実際には、歩行の練習にはならないようです。

アイルランドで行われた親への聞き取り調査で、歩行器を使っている赤ちゃんでは、使っていない赤ちゃんよりも、はいはいやひとり立ち、ひとり歩きが遅いことが報告されています[32]。

また、手が離せると思って目も離していると、トコトコと移動した結果、床の段差で転倒するなど安全面での不安もあります。「たまに使ってあげるくらいなら……」と思うかもしれませんが、子どもはいったん歩行器を知ってしまうと目線が高くなり、周囲がよく見渡せるようになるため、歩行器に乗りたがるようになります。伝い歩きと違って足腰の筋肉を鍛えることにはあまりつながりませんので、あえて使わせないようにしたほうがいいでしょう。

- 乳房から急に引き離すと、もっと強く噛むこともあり、乳頭へのダメージを強くしてしまいます。
- **提　案**

児を離した後は、真剣に「噛んだらダメよ」と目を見て言葉で教えることも大切です。また、噛まれそうと思ったら、その瞬間に赤ちゃんを乳房の方に"わしっ"としっかり引き寄せる、という方法もあり、このほうがとっさのときは便利かもしれません。

5 行動範囲が広がって心配される事故

はいはい、つかまり立ち、つたい歩きと行動範囲が広がるにつれて、誤飲、やけど、転落といった事故の危険度が高まります。

いつ寝返りをうつか、いつはいはいして移動できるようになるか、いつつかまって立ち上がるか、これらは予測できません。初めての寝返り、初めて立ったとき、そんな両親にとって感動の日も、それが親のいないところで、かつ、安全だとはいえない状況で起こった場合は、事故という悲しみに変わってしまいます。

初めての寝返りが健診の最中だったらどうでしょうか。もう20年ぐらいも前ですが、母親が壁と平行に赤ちゃんを寝かせて、私の方を向いて話をしていたときに、初めての寝

赤ちゃんの不思議④　聴覚
口の動きも見ながら言葉を獲得している

　生後2〜5日の赤ちゃんに言葉を聞かせることで左大脳半球の血液量が増える、つまり、脳の活動が上昇することがわかっています[33]。母親にどんどん話しかけるように勧めてください。

　生後7カ月くらいになると、赤ちゃんは喃語という特有の音声を発声し始めます（「まーま」「ぶー」「ばばば」など）。喃語は私たちが実際に使っている言葉ととてもよく似ていて、まるで赤ちゃんがおしゃべりをしているように感じますね。喃語は言葉の獲得における大切な初期過程です。この頃になると赤ちゃんは一つの文章がいくつかの単語から成り立っていること、どこで単語と単語の区切りなのか[注)]を理解しています[34]。

　誰かと向かい合っておしゃべりをしているとき、私たちは相手の口の動きを見ながら音を聞いています。話し言葉は耳だけで聞くものではなく、同時に目で口の動きを見ることで、より正確に音を聞き取ることができます。赤ちゃんにとっても、お母さんの口の動きを見ながら音を聞くことで、より効率よく言葉を獲得すると推測されます。

　直接授乳をしているときには、母親は自然と赤ちゃんの目を見て、意識することなく声をかけていますね。哺乳びんで授乳する場合も目を見て、話しかけながら授乳するように伝えてください。

- 注）「今日・わたし・は・学校・へ・行った」と分かれる「分節化」のことです。

返りを打ち、床に落ちた、という経験があります。幸い、何事もなく済みましたが、何とも恐ろしい瞬間でした。事故を予防するためには、先手を打って常に予測して考えることが大切であることを健診でも伝えます(p.125参照)。図6-1などの資料が役立ちます。

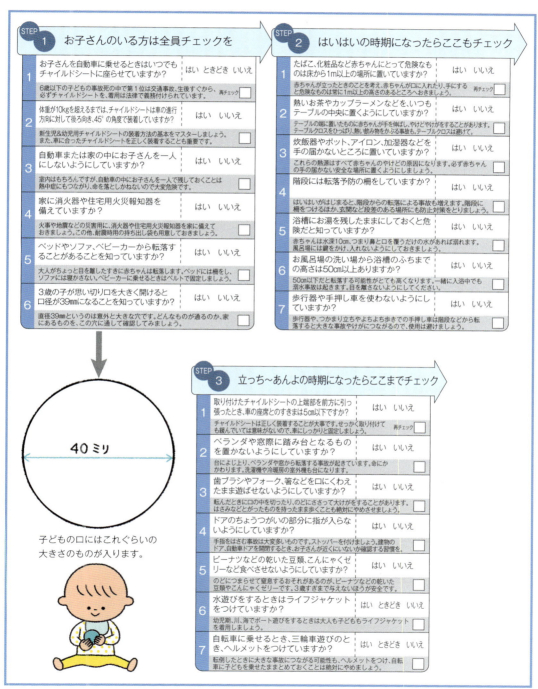

図6-1 事故の危険度セルフチェックシートの一例（母子保健事業団）

FAQ

子どもが食事にあまり興味を示しません……。

🅰 対策1

子どもは家族が食べているものに興味を持つものです。食べることにあまり関心を示さないお子さんの場合、お子さんの横にお母さんが座って食事をしてみてはいかがでしょう。その際に、お母さんの皿に子ども用の食事を置いておくのです。お母さんは、とてもおいしそうに食べてください（本当はおいしくなくても……）。その姿をお子さんに見せるのです。この段階ではあえて、食べさせようとお母さんから補完食をスプーンで口に運んだりはしません。

ここでお子さんと目が合ったら、「食べてみる？」と声をかけて、それを口の中に入れてみましょう。受け入れたら、お母さんもお子さんの顔を見ながら「おいしいねー」と微笑みましょう。子どもはお母さんと同じものを食べていると理解して、食べることを楽しめることでしょう。

🅰 対策2

子どもにはこの時期には自分で食べることに関心を持ってほしいものです。お子さんによっては食べさせられることを嫌がることもあります。なので、自分で食べるように支援するのもよいでしょう。

具体的には、手づかみ食べしやすい食材を用意します。例えば、指でつまむと潰せるくらいに煮込んだかぼちゃをスティック状にします。お母さんもそれを手で食べるのです。見ているお子さんは、やがて関心を持って手を伸ばすことでしょう。最初は、つまんでお皿に戻す、お母さんに食べさせる、なんてことをするかもしれません。そのうち、自分の口にもっていくのです。

9カ月からはつかみ食べの時期でもあります。自分に合った量をかじり取り、飲み込める状態にまで噛み砕くことを学習したいものです。座らせ方も手づかみ食べしやすいよう前傾姿勢にしましょう（図6-2・図6-3）。足はしっかりとつけられるようにしてください。足に力が入らないと食べにくくなります。

図6-2 座らせ方

図6-3 ベビーチェアの足台

牛乳パックをガムテープで固定することで簡易の足台になります。

プラスワン　食物アレルギーが怖くて食べさせられない場合は？

　原則として食物抗原を与えないのでなく、安全な範囲で抗原を食べさせることで食べられるようになることを母親にわかりやすく伝えることが大切です。

　アレルギー検査で陽性であれば、その食物抗原に感作されているわけですが、感作されていても、食べても症状が出ない場合もあります。この場合、食物除去は不要です。ただし、量をどんどん増やしたり、調理形態を変えたりする場合はかかりつけ医と相談してもらいましょう。例えば、鶏卵アレルギーでハンバーグのつなぎとして使っている量の鶏卵では症状がない場合、それと同じ量の過熱した鶏卵は継続してもらいます。いきなり温泉卵とかメレンゲとなると、量・抗原性ともに変わってしまいます。

　食べさせたら口の周りが赤くなったと心配される母親も少なくありませんが、他の部位の皮膚に変化がなく、呼吸症状・循環症状・消化器症状もないのであれば、いわゆる"かぶれ"と考えてもらうとよいでしょう。つまり、食物アレルギーではないので、口の周りにワセリンを厚めに塗ってから与えるとよいでしょう。

9〜10ヵ月健診の コツ

人見知りの赤ちゃんらくらく健診術

　この時期には人見知りが始まります。後ろ向きに抱っこしてもらったまま背中から診察を始めるとスムーズです。そっと前の方にも聴診器を入れて心音を聴き、腹部の腫瘤がないかも確認します。

　次に、おもちゃなどで気をひいて前を向いてもらいます。追視を確認し、貧血がないか眼瞼結膜も見ます。頸部に腫瘤はないか、胸部の聴診、腹部の聴診・触診もここであらためて行います。そのあと母親にもたれかかった状態で、下肢の左右差を見ます。男児は精巣にも触れておきますが、最後でもよいでしょう。

　一度しっかり抱っこしてもらって落ち着いたら、後ろから抱っこし、母親との距離が離れないようにしながら、ベッド上でホッピング反応を見ます。母親には「上手だね〜」と声をかけてもらいます。次に腹ばいに寝かせます。瞬時に四つん這いになって母親の助けを求めたらOKです。

　最後にもう一度後ろから抱き抱えてパラシュート反応を見ます。「転んだときにちゃんと手が出るかを見るんですよ」と説明しながらやると、母親にも安心してもらえます。最後に大泣きしてしまったら、のどを見ておしまい。舌圧子はいりません。

　舌圧子を使って力ずくで口を開けるのはやめましょう。それだけで病院嫌いになる赤ちゃんも少なくありません。なんといっても小さい子の嫌いなものは（予防）注射と舌圧子ですから！

ママに後ろ向きに抱っこしてもらったまま背中の診察をスタート

おもちゃなどで気をひいて前を向いてもらいましょう。追視もチェック

下肢の左右差も忘れず確認

9〜10カ月 健診チェックリスト

計測
- [ ] 体重：　　　　　g
- [ ] 身長：　　　cm　　[ ] 頭囲：　　　　　cm

問診表に記入してもらう項目
- [ ] 栄養方法：　[ ] 母乳（　　　回）
　　　　　　　　[ ] 混合栄養（母乳　　回、人工乳：　　mL×　　回）
　　　　　　　　[ ] 人工乳のみ（　　mL×　　回）
　　　　　　　　[ ] 離乳食（　　回）

お母さんへの質問事項
- [ ] つかまり立ちをしますか？
- [ ] はいはいをしますか？
- [ ] 引き出しを開けていろいろなものを出しますか？
- [ ] 「いやいや」「ぱちぱち」などをして見せると、まねをしますか？
- [ ] 床におもちゃを落としたとき、探しますか？
- [ ] お茶碗を両手で口へ持っていきますか？
- [ ] 親指を使って小さなものをつかみますか？
- [ ] "ダーダー""バーバー"などの濁音を言えますか？
- [ ] テーブルの周りを回って、欲しい物を取りに行きますか？
- [ ] 「イヤイヤ」「ニギニギ」「パチパチ」などの言葉を理解して動作しますか？
- [ ] 「マンマ」と言って催促しますか？
- [ ] 「いけません！」と言うと、ちょっと手を引っ込めて顔を見ますか？

医学的なチェック項目
- [ ] 引き起こし反射：上肢は力が入って屈曲し、下肢は半屈曲または伸展して挙上
- [ ] 座位の確認：バランスをくずさずに、後ろに振り向けるか。
　　　　　　　　横を向いて四つ這いとなるか。
- [ ] ホッピング反応：左右または前に倒すと、一方の下肢が交叉または前に出る。
- [ ] パラシュート反応：左右対称に手を開いているか。
- [ ] 積み木のつかみ方：親指と人差し指でつまむ。
- [ ] 男児：精巣は陰嚢内に固定されているか。

7 1歳健診 よちよち

はじめに

言葉が出ないから、歩いていないから異常があるというわけではありません。1歳健診は「発達のキーエイジ」ではありません。1歳のお誕生という一つの区切りの時期であり、無事にお誕生を迎えたことに対して、両親の苦労をねぎらうことも大切です。

つたい歩きをし、名前を呼ぶと反応し、まねをする、これらのことができていればよいでしょう。

1歳を境に、母乳をやめるようにプレッシャーをかけられることも多くなります。まだまだ母乳には、赤ちゃんに必要な栄養、免疫ともにたくさん含まれていることも伝えましょう。

1 成長の評価

a 体 重

体重増加は9〜10カ月健診と同様、月に200〜300gです。動きの活発なお子さんでは体重増加のスピードは緩やかになることもあります。3パーセンタイルと97パーセンタイルはそれぞれ、男児で7.89〜11.44kg、女児では7.33〜10.73kgです。

b 身長、その他

この時期の身長の伸びは、1カ月に1cmくらいです。3パーセンタイルと97パーセンタイルはそれぞれ、男児で70.4〜79.9cm、女児では69.5〜78.3cmです。

頭囲の3パーセンタイルと97パーセンタイルはそれぞれ、男児で43.6〜48.8cm、女児では42.5〜47.7cmです。

2 神経学的な評価

a 粗大運動

- 運 動

つたい歩き・ひとり立ち・ひとり歩きができているかを確認します。この時期はどのような歩き方でも、歩ければよいでしょう。

- 反 射

パラシュート反応（図7-1）やホッピング反応（図7-2）を認めるかを確認します。

b 微細運動

指先で小さいものをつまむ（pincer grasp）ことができるか確認します（p.133 図5-1参照）。

c 社会性

- 人見知りをするか
- 「いないいないばー」や「バイバイ」に反応するか

「人見知り」には、個人差も大きいです。他者への不安や恐れを表現しています。「いないいないばー」を喜ぶことは、自我がきちんと育ち、自己と他者を分離できていることを意味します。「バイバイ」も、他者とのや

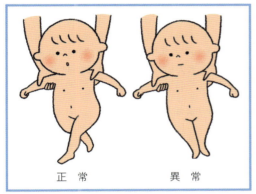

図7-1 パラシュート反応

診断のポイント：号泣していたり、怖がりの赤ちゃんでは、腕をぎゅっと縮めてしまい、パラシュート反射が出ないこともあります。

図7-2 ホッピング反応

診断のポイント：前後左右に力をかけると足を出して体重を支えようとします。ただし、号泣していると出ないこともあります。陰性の場合は、脳性麻痺、精神遅滞、その他の脳障害が考えられます。

今すぐ使える 会話例

シーン⑬ pincer graspの確認

- 👨「床やじゅうたんのごみを見つけてつまみますか？」
- 👩「はい、ごみをつまんで口に入れようとします」
- 👨「小さいものを見つけられるし、つまめるということは器用なのですね！ 口に入れるのは余計ですが（笑）」

これだけで医療者と母親の、お互いの関係がぐっと近づいてきます。

りとりの延長として見られます。

d 言語

- 母親が話している内容がわかるか

「おいで」「ちょうだい」「ねんね」などを身振りなしに話すと、どのように反応するか聞いてみましょう。言葉をどれくらい理解しているかを見ます。有意語がない場合は特に重要になります。

聴力の確認としては、後ろから名前をささやいて振り向くか確認するのも有用です。有意語が出ていなくても、これらの反応があり、聴力に問題がなければ、五感を使って遊びながら言葉を獲得するよう、伝えてみましょう（p.166参照）。

3 気を付けたい身体所見

a 眼瞼結膜

貧血はないかどうか、顔色や耳介の色も注意して見ましょう。色が白く貧血を疑ったら、食生活の内容をしっかり聞きます。偏食またはあまり食べないという答えが返ってくるこ

FAQ

自転車の補助いすにはどのくらいから座らせて大丈夫ですか？

A 自転車事故で注意しなければならないのは、子どもを乗せたままで母親が自転車から離れて転倒する場合と、走行中の転倒です。補助いすは取り付けたときにぐらつきがなく、視線がさえぎられないものを選ぶようにしましょう。

また、停車時の転倒を防ぐために、ハンドル固定機能がついたもの、そして、1本足で片側だけのスタンドではなく、幅の広いスタンドの自転車にしましょう。子どもには必ずヘルメットをかぶらせてください。さて、「いくつから乗せても大丈夫か？」という質問ですが、1歳半から、とお考えいただくのがよいかと思います。それはきちんと立って歩けるようになってから、という考え方です。SGマーク対象商品も2歳からとなっています。

10カ月から歩き始めました。そのときはうれしかったのですが、足に負担がかかって将来、足の弱い子になったり、がに股になったりしませんか？

A 歩き出したわが子を見るのは、うれしいものです。でも、あまり早くから歩いていると、「足に負担がかかるのでは？」と心配されるお母さんはたくさんいらっしゃいます。足首に負担をかけないよう、素足で家の中を歩くのがよいでしょう。早くから歩き始めることで、将来、足が弱くなったり、がに股になったりすることはありません。

OKワード NGワード

乳児の病気、母親を責めないで

OK「おねえちゃんの幼稚園でもはやっていますか？ 赤ちゃんがかわいいから、おねえちゃんもスリスリしたり、チュッとしたりしますからね。手をよく洗って、うがいもするようにしてくださいね。」

NG「お母さんが気を付けないから、うつったのですよ」

● 赤ちゃんが病気になったときは、母親は「自分のせいで」と思っているもの。家庭での感染対策について提案することは大切ですが、まずはお母さんの気持ちに寄り添ってください。

とも多いものです。p.148のコラムを参考にアドバイスしましょう。

b 眼位

眼位に問題ないか、追視のときに左右の眼球の動きはどうかを確認します。

c 頸部

表7-1に挙げたような所見がないかを、視診、触診で確認します。

以前、小学校の入学願書のための診察で側頸嚢胞が見つかったことがありました。母親

表7-1 確認すべき頸部の状態

- 甲状腺の腫脹
- 頸部リンパ節
- 正中頸嚢胞・側頸嚢胞

表7-2 1歳以降の予防接種（一例）

1歳時	生ワクチンシリーズ、MR、水痘、おたふくを同時接種
1歳1カ月	追加接種シリーズ：Hib4回目、PCV13 4回目、DPT-IPV4回目
1歳3カ月	水痘2回目（1回目から3〜6カ月後）

Hib：ヒブワクチン、PCV13：肺炎球菌ワクチン（13価）、DPT-IPV：四種混合、MR：麻疹・風疹混合
※おたふくは3〜7歳の間に2回目を接種する。
※DPT-IPVは2014年より自治体によっては3回目から12カ月後に接種するようになっている。

にいつから気づいていたかを聞いたところ、「ずっと前から気にはなっていたのですが、健診で何も言われなかったので……。やっぱり異常ですか？」と言われました。その後に手術が決まりましたが、このような見落としはないように気を付けてください。

d 腹部

肝臓・脾臓・腎臓の腫大がないか注意して見ましょう。特に9〜10カ月健診以降、体重の増えが止まってしまった場合や、体重減少を認めるような場合は、腹部腫瘤に注意をしてください。神経芽細胞腫、ウィルムス腫瘍、肝芽腫などの腫瘍は、腹部腫瘤として発見されるのが一般的です。

e 外陰部

特に男の子では、陰嚢に注意です。停留精巣があったら泌尿器科を紹介します。

f 下肢

彎曲していないか、両側の内側顆間距離は3cm以内かどうかを、見て判断します。

Don't worry mam!　お母さんの心配事

食べ物で遊んでしまいます

遊んでいるときは、食べ物をつかんだ手を強くつかんで、顔をしっかり見て、真剣な口調で「ダメ！」と注意しましょう。子どもは言葉よりも手を強くつかまれた衝撃や感覚を通して、"食べ物で遊んではいけないのだ"ということを覚えていくでしょう。

普段の生活の中でも自然と食べ物に興味がいくような働きかけをしてみましょう。食べ物の絵本を一緒に読んだり、料理する前の野菜に触れたりするのもよいでしょう。また、盛り付けを手伝ってもらい、誰かに喜ばれると自分が食事の支度にかかわったことが実感でき、食べ物を大切にする気持ちも生まれます。

4 確認しておきたいこと

a 予防接種の進み具合（表7-2）

もしもヒブワクチンと肺炎球菌ワクチンを接種していないなら、接種するよう勧めてください。1歳を過ぎていれば、ヒブワクチンの接種は1回だけです。肺炎球菌ワクチンは60日以上空けて2回です。1歳といえばMR（麻疹・風疹混合）ワクチンを忘れてはいけません。

他にも水痘、流行性耳下腺炎があります。B型肝炎ワクチンがまだの場合は、それも同時接種していくように勧めましょう。

b 1歳児の授乳パターンと離乳食

手を使って遊ぶ、母親の髪の毛を引っ張る

など、飲むこと以外の動作をしながら授乳することも、しばしば見られるようになります。手づかみ食べも盛んです。

　新しい食材は、親も笑顔で一緒に食べて、おいしいことを伝えます。苦手なものがあれば、親が率先して手づかみで食べて見せてみるよう伝えましょう。もちろんにこにこしながら、「おいしい！！」と言いながら食べてもらいましょう。テレビや新聞を見ながらや、メールをしながらの食事は禁止ですよ。

5　見落としてはいけないポイント

a　運動機能

　はいはい、つたい歩きといった移動方法を獲得しているか確認しましょう。獲得していないようなら精査が必要です。

b　食べる機能

　手づかみで食べているか、普段の様子を聞いてください。自分で食べようとする姿勢は大切ですし、手づかみで食べることで、どれくらいの量が適切であるか、自分で判断できるようになっていきます。食べ物に興味がないようなら、興味を喚起するようなアドバイスを行いましょう。

6　母乳育ちの赤ちゃんの健診ポイント

● 1歳以降も母乳育児を続ける

　WHO/UNICEFならびにアメリカ小児科学会、そして日本小児科学会は、1歳以降も母乳育児を続けるよう勧めています。夜寝る前に歯磨きを適切に行えば、夜間の授乳はう歯の原因とはなりません[35]。

● 免疫成分や栄養素は大きく変化しない

　アメリカ小児科学会とアメリカ産婦人科学会のテキストには1歳を過ぎても母乳を与えるよう記載されています。そして、3～4歳の間に自然に卒乳するとも書かれています。母乳の成分は、免疫成分と栄養素ともに12～24カ月の間大きくは変わりません。ヒトの免疫系は生後数年間は成熟しませんので、母乳中の免疫物質は1歳を過ぎても引き続き児を病原体から守っているのです[36]。

表7-3　虫歯のできるしくみ

- 食べかすが口の中に残る。
  ↓
- 食べかすをえさにして、虫歯菌が酸を作る。
  ↓
- 酸は食べ物の中の糖分をもとに歯を溶かしていく。

7　虫歯について覚えておきたいこと

● 母乳自体は虫歯の原因にはならない[37]

　結論から言えば、母乳自体は虫歯の原因になりません[38]。また、虫歯菌（ミュータンス菌）がいるだけでは虫歯になりません。虫歯のできるしくみは、何かを食べると食べかすが口の中に残り、それを餌に虫歯菌が「酸」を作って歯を溶かすことです。特に食べ物の中に砂糖が入っていると、酸がたくさんできて、どんどん歯を溶かしていくのです（表7-3）。

　では、どうして母乳を続けていると虫歯になると言われるのでしょう。そもそも、母乳中に乳糖は含まれますが、虫歯の原因となるショ糖は含まれていません。しかし、ショ糖（砂糖）と母乳が交じり合うと虫歯の原因になることがわかっています。つまり、母乳以外の食べ物、飲み物を取るようになったら母乳をやめるように言われてしまうことが多いのです。2007年に報告されたアメリカでの

FAQ 【1歳健診編】

1歳を過ぎても飲み込みにくい食べ物にはどんなものがありますか？

Ⓐ 1～2歳の頃で、お子さんによって口の中で処理しにくいことがあるものには、生野菜（キュウリ、レタスなど）、繊維のある肉や野菜、弾力性のある食品（かまぼこ、いか、たこ）、まとまりにくいもの（ブロッコリー、ひき肉）、皮が口に残るもの（豆、トマト）といったものがあります。これらは噛み潰せてもすりつぶすことができないため、噛んだだけで出す、丸飲みする、口の中にためて飲み込めない、といったことにもつながります。このような現象も、第一乳臼歯の後ろに第二乳臼歯が生えてくるとよくなりますので、もう少し待ってあげましょう。

1歳でもおっぱいのみで、まったく食べません。

Ⓐ 「おっぱい以外、何も食べません」という訴えは珍しくありません。無理強いすると、もっと食べなくなります。楽しい食事のイメージを植え付けることが第一です。この時期になってからも「食事＝楽しい」を演出してください。手づかみ食べできるものを作って、みんなで手づかみ食べしてください。また、同じものを食べたという意識も強くなります。大皿に盛りつけてみんなで食べるのもよいでしょう。「実家に帰ったら食べるようになった」「保育園では完食しますが、家では食べません」という声もよく聞きます。"みんなで楽しく"が基本です

大規模調査でも、母乳育児、そしてその期間は虫歯のリスクではないことが報告されています[39]。

また、果汁と虫歯との関連も指摘されています。歯は生後約6カ月頃に生え始めます。赤ちゃんに果汁の入った哺乳びんやコップ、果汁入りパック飲料を1日中持ち歩かせるような習慣は、歯を炭水化物に過剰にさらさせることになり、虫歯の進行を促進することになります。

●虫歯を作らないケアを

歯が生えても、母乳育児を続けながら、虫歯を作らないケアを行うことが大切です。表7-4を母親に伝えて、授乳を続けてもらいましょう。乳歯のうちは、乳歯を絶対に虫歯にしないようにするというよりは、虫歯を作ら

表7-4 母親に伝えてほしい情報

- 歯磨きをする。
- 砂糖をたくさん含む菓子・飲み物などをとらない。
- 1歳になったら歯科健診を受ける。

ないような口腔ケアを習慣づけることのほうが重要で、生え替わらない永久歯を虫歯にしないようにします。

それと同時に、母親の口の中の清潔ケアも重要です。なぜなら、母親に虫歯菌がいると赤ちゃんに移ってしまうことが多いからです。補完食が始まってからは、夜長く眠る前は、赤ちゃんが補完食を食べた後に口腔ケアを行い、その後、母乳を飲みながら眠ってもいいようなリズムをつけましょう。

1歳 健診チェックリスト

計測
- ☐ 体重：　　　　　g
- ☐ 身長：　　　cm　　☐ 頭囲：　　　　cm

問診表に記入してもらう項目
- ☐ 栄養方法：
  - ☐ 母乳（　　　回）
  - ☐ 混合栄養（母乳　　回、人工乳：　　mL×　　回）
  - ☐ 人工乳のみ（　　mL×　　回）
  - ☐ 食事（　　回）

お母さんへの質問事項
- ☐ 一人立ちしますか？
- ☐ 両手を引くと歩きますか？
- ☐ 座っているところから手をついて立ち上がれますか？
- ☐ ブラシを使っているのを見て、声を出して欲しがり、与えると真似をして使おうとしますか？
- ☐ 鏡を見て喜びますか？
- ☐ 鉛筆でめちゃめちゃ書きをしますか？
- ☐ 「マンマ」「パパ」「ダダ」などの声を出しますか？
- ☐ 名前を呼ぶと振り向きますか？

医学的なチェック項目
- ☐ 一人立ち：つたい歩き（　　）・両手を引くと歩く（　　）・一人立ち（　　）
  　　　　　片手を引くと歩く（　　）・両手を挙上して数歩歩く（　　）
- ☐ 積み木のつかみ方：親指と人差し指の指先でつまむ。
- ☐ ホッピング反応：左右、前に出現している。
- ☐ 音と光の反応：斜視はないか？　遊んでいるときに音を鳴らすと反応するか？
- ☐ 共同注意：母親が「○○ちゃん、ほら、あっち見て」と指差すと、その方向を見る。
- ☐ MRワクチン、水痘、おたふく、ヒブ、肺炎球菌ワクチン予防接種の確認
- ☐ 歯科検診をすすめる。

8 1歳6カ月健診

はじめに

　1歳6カ月は人間としての基本的な機能が完成する時期であり、言葉・社会性・運動、どれをとっても、発達を評価する上でのキーエイジです。言葉がいくつか出て、靴をはいて歩き、意思の伝達ができているか、確認しましょう。生活リズムについては、就寝時間、起床時間、昼寝などの時間を聞いて、1日のリズムを把握しましょう。

　ここで見落としてしまうと次の健診が3歳となってしまいます。発達障害があるお子さんでは、母親や父親が子育てに不安を表してくる時期でもあります。母親が不安に思っていること、心配していることはないか、医療者はうまく話を引き出してあげたいものです。

1 成長の評価

a 体重

●体重の増え方で注意が必要な場合も

　3パーセンタイルと97パーセンタイルはそれぞれ男児で8.78〜12.89kg、そして女児では8.3〜12.2kgです。極端に体格が小さい場合や1歳健診から体重が増えていない場合は、虐待にも注意して母親の様子の観察や児の診察を行う必要があります。急激に体重が増えている場合は、いわゆるジャンクフードを与えていないか、体を使った遊びができ

Don't worry mam!　お母さんの心配事

夜ふかししがちの生活です

　お父さんの遅い帰宅を待って、お子さんも寝るのが遅くなってしまうのですね。お父さんも仕事が忙しい中、お子さんと少しでも時間をとろうと思っていらっしゃるのですね。お母さんもその触れ合いを大切にしたいと思われているのでしょう。

　そうはいっても、お子さんの生活リズムの基本は、日の出とともに起きて、日が暮れると床につくことです。早起きして昼間も身体を使った遊びをすれば、夜も早く寝てくれるようになります。平日は、お父さんとの時間を朝、出かける前にとってもらい、お父さんとの触れ合いは休日にたくさんとってもらうとよいでしょう。お子さんの生活リズムを忙しいお父さんに合わせるのは、ちょっと難しいかもしれませんね。

ているか、などに注意してください。

　3歳健診で体重が24kgというお子さんがいましたが、母親に聞くと「フライドポテトが大好きで毎日与えています」と答えました。もちろんわたしは「ファストフードよりも、

お母さんの作った料理のほうがいいですよ。野菜・果物を取り入れてください」と伝えて肥満外来を紹介しました。

- **神経疾患や虐待の可能性にも注意**

体格が小さくても、身体発育曲線に沿って増えており、身長とのバランスがとれていれば心配ありません。このときも両親の乳幼児期の体格（兄姉がいれば兄姉も）について確認しましょう。ただし、この時期に体重や身長の増加が止まる〜体重が減ってしまうという場合には、発達についても注意して診察することが大切です。発達も遅れている場合には、神経疾患や虐待の可能性もあります。外傷、やけど、身の回りの不潔さなど、虐待を疑わせる所見がないか注意してみましょう。

b 身長、その他

3パーセンタイルと97パーセンタイルはそれぞれ男児で75.8〜86.0cm、女児では75.2〜84.9cmです。同様に頭囲は、男児で44.9〜50.2cm、女児では43.8〜49.3cmです。

頭囲が97パーセンタイル以上の場合、多くは病的意義のないものが多く、両親のどちらかが小さい頃、頭が大きかったということが多いものです。発達が順調であれば心配いらないと伝えてもよいでしょう。

稀に腫瘍やくも膜嚢胞に伴う二次性水頭症のこともあります。それまでの頭囲の大きくなり方を身体発育曲線で確認し、急激に大きくなっている場合や発達に何らかの異常がある場合には、頭部画像検査を行います。私の経験では、「家族中が心配していて、このままだとノイローゼになります」と言われたため、被曝のないMRIを予約したこともありました。

2 神経学的な評価

a 粗大運動

99%の子どもはひとりで歩くことができ、歩行の姿勢も両手を下にさげて歩くlow guardとなります。実際に歩いてもらって、転びやすさ、バランスの悪さ、骨盤の動揺がないかについても確認しましょう。また、以下の点も注意しましょう。

- **発達の退行**

歩けていたのに歩けなくなった、言葉が出ていたのに出なくなったなど、発達の退行を示唆する症状は精密検査の必要があります。

- **ひとり歩きできない**

正常範囲の発達の遅れ、良性乳児筋緊張低下症、筋ジストロフィーを含む筋疾患、脳性麻痺などが考えられます。精神発達の遅れや発達の退行があれば専門施設を紹介してください。

b 微細運動

両手の第1、2指の機能が分離し、物をつまむ、ひねるという行動が上手にできてきます。食事のとき、スプーンをどんな風に使っているのか聞いてみましょう。健診では、積み木（3cm四方）を積んでもらって観察します。母親の膝の上でやってもらうと子どもも安心できます。軽度の運動障害を発見するのに有用な方法です。

- **積み木の観察ポイント**

①つまみ方ははさみ持ちか指先持ちになっているか。

②2〜3個以上積めるか。

粗大運動が正常に発達しているのに、つまみ方がおかしい場合は軽度の脳性麻痺や脳障害を考えて、小児神経科医に一度みてもらい

ましょう。

- **なぐり書きができるようになる**

また、鉛筆を持たせるとなぐり書きをする子もいます。鉛筆の持ち方もよく見てみましょう。鉛筆の持ち方は、初めは手を回外し、指全体で鉛筆を持ちます。少し発達してくると、手が回内し4～5本の指で持つようになります。さらに進歩すると、鉛筆を中指、示指、親指の3本で持つようになります。1歳6カ月ではなぐり書きができれば十分でしょう。鉛筆での書き方も初めは直線ですが、だんだんと曲線を描けるようになってきます。

c 社会性

以下の観点（表8-1）に注意して評価してください。

- **活発性の程度**

この時期になると、新しい経験をたくさん積むようになってきますね。新しい場所（児童館や公園など）でも母親から離れて好奇心旺盛に動き回る子ども、母親からなかなか離れない子ども、はっきりと分かれてくるのもこの時期です。なぜこのような違いが生まれるのでしょう。生後すぐ母親との愛着形成がしっかりとできたお子さんは、冒険心が豊かになるということと関係がありそうです（p.166のコラム参照）。

- **指示の理解**

簡単な言いつけ、例えば「スプーン取って」と言うとスプーンを取ってくれるか、母親に聞いてください。診察が終わって部屋を出て行くときに、「バイバイ」と声をかけてみましょう。ほとんどの母親は「先生にバイバイは？」と言います。このときに、母親の指示に従ってバイバイできるか見てみましょう。

表8-1 社会性の評価点

- 一緒に遊ぶと喜ぶか。
- 遊ぼうよと言って近づいてものってこない様子か。
- 視線が合うか。
- 落ち着きがあるか。
- 他の子どもに興味を示すか。

表8-2 言語評価にあたっての質問例

- "マンマ"とか"ワンワン"とか意味のある言葉をしゃべりますか？
- "ブーブー"などのような濁音は出ますか？
- お母さんがお話ししていることは理解できますか？
- 指差しはしますか？
- 遊んでいるときやテレビを見ているとき、後ろから小さな声で名前を呼ぶと振り向きますか？

d 言　語

言葉の評価が大切な時期です。

- 「パパ」「マンマ」など意味のある言葉を話すか
- 2語以上の有意語があるか

この2点に特に注意して評価しましょう。評価にあたっては、表8-2のような質問を母親にしてみましょう。

言語が理解できていないか、指示通りにできないかということについては、以下の3点を考えながら診察します。

- 聴覚障害
- 精神発達障害
- コミュニケーション障害（広汎性発達障害）

そして、

① 日常の生活や診察において、聴覚障害が疑わしい場合は耳鼻科を紹介します。

② 精神発達の遅れでは、運動発達の遅れを合併していることも多いので歩行の様子など注意して見ましょう。

③ 目を合わせるか、あやせば泣きやむか、一

Don't worry mam! お母さんの心配事

上の子と一緒にテレビを見てしまいます

この時期に大切なのは、人と遊んだり、身体を使って遊んだりすることです。上のお子さんがいると、公園で一緒に遊べば身体の発達にもつながります。その反面、まだ見せたくないなと思われるテレビを、上のお子さんと一緒に見てしまうということもあるでしょう。そうはいっても、まったくテレビと無縁の生活はなかなか難しいですね。

上のお子さんともよく話して、見るテレビ番組を決める、だらだらとテレビをつけておかない、食事中はテレビを消す、など家族の中でのきまりを作っておくとよいでしょう。

緒に遊ぶと笑顔が出るかなどを評価します。

これらに問題があり、①、②が否定できれば広汎性発達障害を考えます。

- **有意語が出ない場合**

言葉かけによる指示への応答も見てください。「お母さんどこ？」と問いかけて母親の方を振り返れば「お母さんいたね！！」と喜びましょう。ちゃんと母親がいることを確認できると、診察でも安心できます。このように、身振り・指差しなどで応答する場合は発語だけが遅れていると考えられるため、さほど心配はいらないでしょう。言葉の遅れが精神遅滞、自閉スペクトラム症、難聴などを疑うきっかけともなりますので、注意して見てください。乳幼児自閉症チェックリスト修正版（M-CHAT）は、2歳前後の幼児に対して自閉スペクトラム症のスクリーニング目的で使用される親記入式の質問紙です。日本版M-CHATを1歳6カ月健診に導入したとこ

プラスワン　出生直後の母子の触れ合いはストレス応答と関係する

出生後すぐに母親と素肌で触れ合った児は、1歳時点でより自分の行動を調節することができたという報告があります（Parent-Child Early Relational Assessment：PCERA[41]にて評価）。この自らの行動を調節する機能はストレス応答と関係しています。

新しい場所、知らない人との出会いはストレスとして受け止められますが、このストレスにうまく対応できると新しい場所や人とも怖じ気づくことなく遊べるということです。出生後に母子接触を経験せずに母児同室にした場合、出生後2時間、母子接触をした児よりも、1歳時点でストレスに対する対応ができにくくなるといいます。つまり、生後2時間という時間は母親と児にとって、とても大切な感受期であり、お互いに愛着を築く時間の窓口なのです。このような点からも、生まれてすぐの母親との触れ合いが大切なのですね。もちろん事情によって、出生直後の触れ合いが十分できないこともあるでしょう。このような場合でも、その後、数カ月間は、できるだけ母親と児が一緒にゆったりとできるような環境を作れるよう、医療者も応援したいものです。

OKワード NGワード

言葉の発達がゆっくりな子どもを診察するとき

言葉の発達がゆっくりな子どもを持つ母親にとって、1歳6カ月健診はちょっと（かなり？）嫌なものです。まずは親が落ち着けるような話をしたうえで、本題に入っていきましょう。

OK　「お母さんは、言葉がはっきりしていないことで心配されていますか？」

NG　「言葉が出ないようですので、心理相談を受けてください」

- 「心配です」と言われれば、心理相談を紹介します。「上の子もゆっくりだったので、心配していません」というのであれば、遊びの中から言葉を引き出すことを説明し、「また3カ月後に見せてください」と答えます。
  NGワードのように押しつけると、「上の子のときも嫌な思いをしましたので、結構です」といってさっさと帰ってしまう母親もいます。

ろ、自閉スペクトラム症の児とその家族への早期介入に成果があったと報告されています（表8-3）[40]。

●指差しができるかどうか

絵本を見て知っているものを指差すかどうかも見ておくとよいでしょう。「ブーブーどれ？ ワンワンは？」など、子どもとのコミュニケーションがとれないと答えてくれません。このような場合は、家ではできるか聞いておいてください。名前を呼ぶと振り向くかも確認しておきます。家にいるときに、絵本を読んでいるときやテレビを見ているときに、背後から名前を呼ぶと振り返るかどうかは、聞こえの問題と認知機能の発達を見る上で有用です。

●言葉の発達を促す方法

- 指差しをしながら「アッ」と声が出たとき、その方向を見て犬がいれば「ワンワンだね」と声をかけます。
- 猫がいたら、（触れるときは）触りながら、「にゃー」とまねてみたり、「ふわふわだね」と言ってみます。
- 大きな音をあげて車が走って来たら「赤いブーブー、速いねー、ぴゅー」と話しかけてみます。

自分の体を使って（見て、聞いて、触ってなど）、物と名前を一致させていくことが大切です。触覚、温覚、視覚などが一緒になって、赤ちゃんの頭の中に刻み込まれるでしょう。それらは頭の引き出しに記憶としてしまっていきます。ため込んでおけば、しゃべり始めたら、芋づる式に出てくるのです。

3　気を付けたい身体所見

a　脊柱

後ろ向きでまっすぐに立ってもらいましょう。背骨が曲がっていないか、両肩、肩甲骨の左右差がないかを確認します。側彎症は低年齢の女性で見つかった場合は、進行の危険性が高まります。

b　胸郭

漏斗胸を気にしている母親もいます。ほと

表8-3 日本語版M-CHAT（The Japanese version of the M-CHAT）

お子さんの日頃のご様子について、もっとも質問にあてはまるものを○で囲んでください。すべての質問にご回答くださるようにお願いいたします。もし、質問の行動をめったにしないと思われる場合は（例えば、1～2度しか見た覚えがないなど）、お子さんはそのような行動をしない（「いいえ」を選ぶように）とご回答ください。項目7、9、17、23については絵をご参考ください。

1. お子さんをブランコのように揺らしたり、ひざの上で揺すると喜びますか？	はい・いいえ
2. 他の子どもに興味がありますか？	はい・いいえ
3. 階段など、何かの上に這い上がることが好きですか？	はい・いいえ
4. イナイイナイバーをすると喜びますか？	はい・いいえ
5. 電話の受話器を耳にあててしゃべるまねをしたり、人形やその他のモノを使ってごっこ遊びをしますか？	はい・いいえ
6. なにかほしいモノがある時、指をさして要求しますか？	はい・いいえ
7. 何かに興味を持った時、指をさして伝えようとしますか？	はい・いいえ
8. クルマや積木などのオモチャを、口に入れたり、さわったり、落としたりする遊びではなく、オモチャに合った遊び方をしますか？	はい・いいえ
9. あなたに見てほしいモノがある時、それを見せに持ってきますか？	はい・いいえ
10. 1，2秒より長く、あなたの目を見つめますか？	はい・いいえ
11. ある種の音に、とくに過敏に反応して不機嫌になりますか？（耳をふさぐなど）	はい・いいえ
12. あなたがお子さんの顔を見たり、笑いかけると、笑顔を返してきますか？	はい・いいえ
13. あなたのすることをまねしますか？（たとえば、口をとがらせてみせると、顔まねをしようとしますか？）	はい・いいえ
14. あなたが名前を呼ぶと、反応しますか？	はい・いいえ
15. あなたが部屋の中の離れたところにあるオモチャを指でさすと、お子さんはその方向を見ますか？	はい・いいえ
16. お子さんは歩きますか？	はい・いいえ
17. あなたが見ているモノを、お子さんも一緒に見ますか？	はい・いいえ
18. 顔の近くで指をひらひら動かすなどの変わった癖がありますか？	はい・いいえ
19. あなたの注意を、自分の方にひこうとしますか？	はい・いいえ
20. お子さんの耳が聞こえないのではないかと心配されたことがありますか？	はい・いいえ
21. 言われたことばをわかっていますか？	はい・いいえ
22. 何もない宙をじぃーっと見つめたり、目的なくひたすらうろうろすることがありますか？	はい・いいえ
23. いつもと違うことがある時、あなたの顔を見て反応を確かめますか？	はい・いいえ

（次ページへ続く）

（前ページより続く）

7. 何かに興味を持った時、指をさして伝えようとしますか？

9. あなたに見てほしいモノがある時、それを見せに持ってきますか？

17. あなたが見ているモノを、お子さんも一緒に見ますか？

23. いつもと違うことがある時、あなたの顔を見て反応を確かめますか？

［M-CHAT copy right (c) 1999 by Diana Robins, Deborah Fein, & Marianne Barton. Authorized translation by Yoko Kamio, National Institute of Mental Health, NCNP, Japan］

んどの場合はごく軽度の漏斗胸ですので、成長とともにしだいに目立たなくなっていくことを伝え、経過観察します。中等度や重度の漏斗胸の中には、臓器を圧迫してさまざまな症状が現れる場合がありますので、要注意です。

c 皮　膚

アトピー性皮膚炎と診断され、治療を受けている子どもも多くなります。きちんと治療を受けているか確認しましょう。また、カフェ・オ・レ斑や白斑がある場合は神経皮膚症候群（von Recklinghausen病、伊藤白斑）の可能性があります。神経症状ならびに発達に気を付けます。脂腺母斑は頭皮に多く、思春期になると疣状に盛り上がります。また、脂腺母斑が広範囲にある場合は、神経皮膚症候群を疑います。

d その他、確認しておきたいこと

- 痙攣がある

この時期の子どもの2～6％に痙攣の既往があります。このうち、95％以上は熱性痙攣です。

- 視力の異常

両目が合うかが重要です。斜視を疑う場合は、眼科を紹介します。目を近づけて見る、目を細めて見ることがないかを確認してください。

 見落としてはいけないポイント（機能獲得に影響を及ぼすもの）

a 言語発達

有意語が2語以上あるか、ない場合は指差しをするか見てください。

b 運動機能

独歩は可能か、歩き方に気になるところ（左右差など）はないか実際に見てください。

 母乳育ちの赤ちゃんの健診ポイント

●欲しがる間はあげよう

この時期になると周囲から「まだおっぱいをあげているの？　乳離れできなくなるよ」とか「おっぱいは1歳過ぎると栄養はないんだから、やめたほうがいいよ」などと言われて心が揺らいでいる母親も少なくありません。「おっぱいはいつまであげてもいいのですか？」と質問されることもしばしばあります。答えは一つ。母親があげたいと思い、赤ちゃんが欲しがる間はあげてください。

●おっぱいをめぐる思い出作りを

2歳を過ぎてくると「今日のおっぱいおいしかった」とか「りんごの味がした」とかお子さんがお話ししてくれます。これは子育ての大切な1ページとなることでしょう。最後は「おっぱいがまずくなったから、もうやめる」と言い出します。「失恋したときを思い出しました……」という母親もいました。お子さんの意思を言葉で伝えてやめていくわけですから、本当の意味での「卒乳」ですね。

●職場復帰時も母乳をやめないで

1歳前後から保育園や託児施設に預けて、母親が職場復帰をされることもありますね。感染予防効果という意味でも、母乳はできるだけ長く与えてほしいものです。特に冬場には胃腸炎が流行しますが、「母乳だけは吐きません」という母親は決して少なくありません。吸収がよく、ダメージを受けた消化管を修復する作用もあるわけですから、少なくとも冬から春にかけては、やめずに続けてほしいと思います。

6 トイレットトレーニングについて覚えておきたいこと

● ストレスのない時期に開始する

トイレットトレーニングは時間がかかり、忍耐を要する行為であることを覚えておいてください。ですから、開始する時期としては、季節というよりも、子どもにとって他のストレスのない時期を選んだほうがよいでしょう。例えば離乳、おしゃぶりをやめる、引っ越し、保育園への入園、次の赤ちゃん誕生などの時期にトイレットトレーニングを始めると、子どもにとってはストレスが重なってしまうので、できれば避けたいですね。

● 精神的な準備が整うことが大切

大切なのは、子どもが精神的にトレーニングの準備ができていることです。恐怖心を持っていたり、格闘しなければならないようであれば、その時期ではないということです。アメリカで、より早い時期にトイレットトレーニングを始めたほうが、早くおむつが取れましたが、結局、トレーニングにかかった期間は長くなったという論文もあります[42]。トイレットトレーニングを行うにあたっては、表8-4のような条件が整ってからのほうがよさそうです。

表8-4 トイレットトレーニング開始の条件

- 日中、少なくとも2時間おしっこをしない。
- 昼寝の後、おむつが濡れていない。
- 排便の時間が規則的で予測しうるようになる。
- 排尿、排便をしようとするときに、表情や姿勢、言葉でわかる。
- 子どもが簡単な指示に従うことができる。
- トイレの出入りができ、自分で衣服を脱ぐことができる。
- 濡れたおむつを不快に感じるようになり、替えてほしいように見える。
- トイレやおまるを自分から使いたいという。普通のパンツを使いたがる。

7 早寝・早起き・朝ごはん

身長や記憶能力にも関係すると言われる成長ホルモンやメラトニンは、早寝・早起きで分泌が良くなると言われています。どちらも睡眠と深い関係があるのです。良い睡眠を取るためにまず大事なのは、

- 早く起きて日光を浴びる（ここで1日のスタートになる）
- 昼間は外でたっぷり日の光を浴びて遊ぶ
- 夕食は早く済ませる
- 夜はテレビやパソコンなどを見せない

ことです。

朝ごはんも1日の活力の源です。脳に必要なエネルギーが得られなければ学習能力も落ちてしまいます。また、しっかり寝ないと朝、食べられません。

FAQ

1歳6カ月健診編
下の子が生まれておにいちゃんになってから、赤ちゃん返りに手を焼いています。

A 赤ちゃんが家族の一員となるということは、上のお子さんにしてみれば「夫が自分よりかなり若い愛人を家に連れてきたようなもの」という人もいます。自分より若い女性とべたべたして、近づこうとしたら「あっちに行け」と言われるようなものですから、これはつらいです。せめて受け入れていることを形で示すことは大切です。ほかにもおにいちゃんの名前を言って、「○△くん、大好きだよ！！」とか、赤ちゃんのおっぱいの間、我慢していたおにいちゃんに「ありがとう！ さすがおにちゃんだね！」と言って抱きしめてあげるのもいいですね。以下にも、解決策の例を挙げておきます。

赤ちゃん返りの解決策

① おにいちゃんが赤ちゃんだった頃の写真を見せて、「○△ちゃんはね、お母さんのところに一番最初に来てくれたんだよ。赤ちゃんのときは、こんなふうだったんだよ」と微笑みながら言う。

② 父親がいるときは、公園にいったりお出かけしたりしてもらう。「お母さんには内緒だよ」という父親と2人だけの小さな秘密を作ってみる。

③ 赤ちゃんは父親とお風呂、上の子は母親とお風呂というように、上のお子さんへの特権を感じられるようにする。

④ 祖父母がいる場合は、祖父母や父親には上の子に意識して声をたくさんかけてもらってもよいでしょう。「さすがおにいちゃんだ！」なんて言われると、うれしくなるかもしれません。

⑤ おっぱいをあげているときにのぞきに来たら、「おにいちゃんもおいで。一緒におっぱいを飲もう」と声をかけてあげます。このようにすると、多くの子どもは「おにいちゃんだからいらない」と言って出て行ったり、少しだけ乳頭を吸って「まじぃー」と言って離れて行ったりするようです。どちらにしても、お母さんから「受け入れられている」という意識を持つことができます。

1歳6カ月健診のコツ

診察室に入ってくる母子の観察を

　まず、診察室に入るとき歩いて入ってくるときに、歩き方や母親の表情もぜひ見ておきたいですね。あまりしげしげと見つめると、「変な先生……」と思われるかもしれませんが、子どもの様子と母親の表情を見ているだけでも、普段母親が子どもとどのような生活をしているのか、感じ取られることもあります。母親が無表情であったり、子どもを怒鳴りながら部屋に入ってくる場合は、要注意です。

　泣いて母親にしがみついている子どもでは、母親の肩越しにおもちゃを見せて、子どもが泣きやんでいる間に背部の聴診を行いましょう。可能ならそのまま胸部の正面にも聴診器を入れて、心雑音・リズム不整の有無を聞き取りたいものです。次に前に向き直ってもらって胸部聴診・腹部の聴診・触診を行い、外陰部の診察を行います。下肢の彎曲・長さの左右差にも注意しましょう（p.154「9～10カ月健診のコツ」参照）。

「No Problem！」

「あまり目を合わさないなぁ」

「いつもこんな様子なのかなぁ」

1歳6カ月 健診チェックリスト

計測
- [ ] 体重：　　　g
- [ ] 身長：　　　cm

お母さんへの質問事項
- [ ] 転ばないで上手に歩けますか？
- [ ] 手を軽く持つと、階段を上がりますか？
- [ ] 積み木を2つ3つ積みますか？
- [ ] 鉛筆を持ってなぐり書きをしますか？
- [ ] 絵本を見て知っているものを指差しますか？
- [ ] 「パパ」「ママ」などの意味のある単語を言いますか？
- [ ] 自動車を「ブーブー」と言って押したり、人形を抱っこしたりして遊びますか？
- [ ] 後ろから名前をささやくと、振り向きますか？

医学的なチェック項目
- [ ] 歩き方
- [ ] 積み木のつかみ方、積むか。
- [ ] イヌやネコの絵を見せて指差しの確認
- [ ] 脊柱・胸部：正常・異常（　　　　　　　　　　　　）
- [ ] 頸部腫瘤：なし・あり
- [ ] 皮膚の異常：なし・あり
- [ ] 心雑音：なし・あり
- [ ] 腹部腫瘤：なし・あり
- [ ] 鼠径部（陰嚢含む）の異常：なし・あり
- [ ] 予防接種の進み具合
    - ・DPT-IPVのⅠ期追加の確認
    - ・水痘2回目の確認

引用・参考文献

1) 厚生労働省．平成27年度乳幼児栄養調査結果の概要．平成28年8月24日発表．https://www.mhlw.go.jp/stf/seisakunitsuite/bunya/0000134208.html
2) Wright, CM., Parkinson, KN. et al. The influence of maternal socioeconomic and emotional factors on infant weight gain and weight faltering : data from a prospective birth cohort. Arch Dis Child. 91, 2006, 312-7.
3) Mizuno, K., Mizuno, N. et al. Growth and development of near term infants at three years of age. Early Humn Dev. 83, 2007, S118.
4) Reyna, BA., Pickler, RH. Mother-Infant Synchrony. JOGNN. 38, 2009, 470-7.
5) 水野克己．栄養方法別の成長発達ならびに母親の子育て不安に関するフォローアップ．平成24年度厚生労働科学研究補助金（成育疾患克服等次世代育成基盤研究事業：H23-次世代-指定-008）「HTLV-1母子感染予防に関する研究：HTLV-1抗体陽性妊婦からの出生児のコホート研究」分担研究報告書．
6) Cox, JL. Perinatal Mental Health : A Guide to the Edinburgh Postnatal Depression Scale. London, Gaskell, 2003, 126p（岡野禎治ほか訳．産後うつ病ガイドブック．東京，南山堂，2006，97p）
7) 米国小児科学会編．母乳育児のすべて：お母さんになるあなたへ．平林円訳．大阪，メディカ出版，2005，280p．
8) UNICEF/WHO．UNICEF/WHO母乳育児支援ガイド．日本ラクテーション・コンサルタント協会訳．東京，医学書院，2003，165p．
9) 国際ラクテーション・コンサルタント協会（ILCA）．生後14日間の母乳育児援助：エビデンスに基づくガイドライン．日本ラクテーション・コンサルタント協会訳．2003．
10) ラ・レーチェ・リーグ・インターナショナル編．改訂版 だれでもできる母乳育児．大阪，メディカ出版，2000，448p．
11) American Academy of Pediatrics/American College of Obstetricians and Gynecologists. "Maintenance of breastfeeding – The infant". Breastfeeding Handbook for Physicians. Elk Grove Village, American Academy of Pediatrics, 2006, 107-8.
12) 唐木剛．赤ちゃんはいつからどのように物が見えるの？ 周産期医学．31，2001，926-7．
13) 仁志田博司．赤ちゃんはどうしてかわいいの？ 前掲書10．912-5．
14) McDougall, P., Drewett, RF. et al. The detection of early weight faltering at the 6-8-week check and its association with family factors, feeding and behaviorural development. Arch Dis Child. 94, 2009, 549-52.
15) UNICEF/WHO．"Session9 母乳の分泌"．母乳育児支援ガイドベーシック・コース．BFHI2009翻訳編集委員会訳．東京，医学書院，2009，191-204．
16) 国際ラクテーション・コンサルタント協会．母乳だけで育てるための臨床ガイドライン．張尚美ほか訳．札幌，日本ラクテーション・コンサルタント協会，2008，1-28．
17) "Weight gain". The Breastfeeding Answer Book. 3rd ed. Mohrbacher, N., Stock, JMA. ed. Illinois, La Leche League International, 2003, 147-78.
18) Neadlman, RD. "The first year". Nelson Textbook of Pediatrics. 17th ed. Behrman, RE., Kliegman, RM. et al., eds. Philadelphia, Elsevier, 2004, 31-7.
19) 山中龍宏，原朋邦．見逃してはならないこどもの病気20．東京，医学書院，2000，236p．
20) 坂口亮．"先天性股関節脱臼"．整形外科クルズス．改訂第2版．津山直一監修．東京，南江堂，1988，496．
21) "Developmental dysplasia of the hip". Tachdjian's Pediatric Orthopaedics. 3rd ed. Herring, JA. ed. Philadelphia, W. B. Saunders, 2001, 513-654.
22) Crook, CK. Lipsitt, LP. Neonatal nutritive sucking : effects of taste stimulation upon sucking rhythm and heart rate. Child Dev. 47, 1976, 518-22.
23) Mennella, JA. Beauchamp, GK. Maternal diet alters the sensory qualities of human milk and the nursling's behavior. Pediatrics. 88, 1991, 737-44.

24) Ashraf, RN., Jalil, F. et al. Additional water is not needed for healthy breast-fed babies in a hot climate. Acta Paediatr. 82(12), 1993, 1007-11.
25) 望月弘. 低身長・肥満. 小児科臨床. 62, 2009, 2714-20.
26) American Academy of Pediatrics/American College of Obstetricians and Gynecologists. "Maintenance of breastfeeding : the infant". Breastfeeding Handbook for Physicians. 2nd ed. Schancler, RJ. et al., eds. Elk Grove Village, American Academy of Pediatrics, 2013, 111.
27) Chantry, CJ. Howard, CR. et al. Full breastfeeding duration and associated decrease in respiratory tract infection in US children. Pediatrics. 117, 2006, 425-32.
28) Hepper, PG. Fetal memory : does it exist? What does it do? Acta Paediatr Scand. Suppl. 416, 1996, 16-20.
29) 三宅和夫. こころの発達：発達理解と発達援助. 前川喜平, 三宅和夫編. 京都, ミネルヴァ書房, 2000, 2-12.
30) Lozoff, B., Georgieff, MK. Iron Deficiency and brain development. Semin Pediatr Neurol. 13, 2006, 158-65.
31) NPO法人みやぎ母乳育児をすすめる会. おっぱい子とお母さんの歯の健康. http://www.wam.go.jp/Densi/kikin/eJoseiLib/seikabutsu/2008/20080303022_01_01.pdf, http://www.wam.go.jp/Densi/kikin/eJoseiLib/seikabutsu/2008/20080303022_01_02.pdf
32) Garret, M., EcElroy, AM. et al. Locomotor milestones and babywalkers : cross sectional study. BMJ. 324, 2002, 1494.
33) Pena, M. Maki, A. Sounds and silence : An optical topography study of language recognition at birth. Proc Nat Aca Sci. 100, 2003, 11702-5.
34) Saffran, JR., Aslin, RN. et al. Statistical learning by 8-month-old infants. Science. 274, 1996, 1926-8.
35) Salone, LR., Vann, WF. Jr. et al. Breastfeeding : an overview of oral and general health benefits. J Am Dent Assoc. 144(2), 2013, 143-51.
36) American Academy of Pediatrics/American College of Obstetricians and Gynecologists. "Maintenance of breastfeeding-the infant". 前掲書9. 101-32.
37) Wight, NE. Management of common breastfeeding issues. Pediatr Clin North Am. 48(2), 2001, 321-44.
38) Erickson, FR., Mazhari, E. Investigation of the role of human breast milk in caries development. Pediatr Dent. 21(2), 1999, 86-90.
39) Iida, H., Auinger, P. et al. Association between infant breastfeeding and early childhood caries in the United States. Pediatrics. 120(4), 2007, e944-52.
40) 神尾陽子. 日本語版M-CHAT（The Japanese version of the M-CHAT）. https://www.ncnp.go.jp/nimh/jidou/aboutus/mchat-j.pdf
41) Bystrova, K. et al. Early contact versus separation : effects on mother-infant interaction one year later. Birth. 36(2), 2009, 97-109.
42) Blum, NJ., Taubman, B. et al. Relationship between age at initiation of toilet training and duration of training : a prospective study. Pediatrics. 111(4 Pt 1), 2003, 810-4.

索 引

●あ
愛着形成　12, 74, 145
亜鉛華軟膏　87
赤ちゃん返り　172
アトピー性皮膚炎　40, 43, 170
アミノ酸　49
あやし笑い　114
（食物）アレルギー　40, 43, 141, 153
　　ミルク――　24
　　――を予防する因子　42
アレルギー性鼻炎薬　39
アレルゲン　42
アンドロゲン過剰　53

●い
育児不安　57, 70, 109
胃軸捻転　53
胃食道逆流　53
異所性蒙古斑　56
苺状血管腫　85, 96
いつ乳　51, 53
伊藤白斑　170
陰核肥大　53
陰唇癒合　93, 117
陰唇癒着　93
インスリン　49
陰嚢　116
　　――水腫　93
インフルエンザワクチン　95

●う
ウイルスキャリア　45
うつぶせ　137
運動機能　160, 170
運動障害　164
ウンナ母斑　56, 85

●え
栄養不良　82
液体ミルク　50
エジンバラ産後うつ病自己評価票　73, 75, 76
エモーショナルサポート　21

●お
黄疸　52, 71
　　核――　55, 56
　　重症――　53
　　母乳栄養児の――　97
　　母乳性――　55
　　――のリスク因子　53, 54, 55
太田母斑　96
オートクリン・コントロール　74
オキシトシン　61
おしゃぶり　111, 123
おすわり　133
おたふくかぜワクチン　95
音に対する反応　96, 110, 115, 120
おむつ　101
　　――皮膚炎　85, 84
折れ耳　12, 91

●か
外陰部の診察　53, 116, 159
外気浴　100
外転神経麻痺　96
鵞口瘡　85
果汁　123, 137, 161
風邪　38
家族の支援　58
カフェ・オ・レ斑　170

川崎病　40
眼位　56, 96, 120, 158
眼瞼結膜の診察　157
眼脂　57, 90
カンジダ感染　85
汗疹　87

●き
気管支拡張薬　39
気管支喘息治療薬　39
気道感染　63
機能
　　運動――　160, 170
　　食べる――　160
　　認知――　167
虐待　163
吸気性喘鳴　52
（乳房への）吸着　30
　　――が不適切なサイン　98
吸啜障害　31
胸囲　18, 83, 114
　　――測定の方法　83
胸部の診察　52
巨頭症　83
筋緊張　56, 84
筋疾患　164
筋性斜頸　52, 90
筋力低下　136

●く
（児の）空腹のサイン　27, 52, 53
首のすわり　118

●け
形態異常　91
頸部腫瘤　52, 90

頸部の診察　52, 158
経母乳感染　47
痙攣　170
血管腫
　苺状——　85, 96
　単純性——　85
血清ビリルビン値　54
血便　123
結膜下出血　57
解熱鎮痛薬　39
下痢止め　39
言語発達　120, 150, 165, 167, 170
原始反射　28, 84
健診スタイル　11
健診ポイント　11
　母乳栄養児の——　97, 111, 136, 160, 170

● こ
抗アレルギー薬　39
肛囲皮膚炎　88
抗ウイルス薬　39
抗うつ薬　39
交換輸血　55
後期早産児　60, 71
抗菌薬　39
口腔ケア　163
口腔内の観察　102
交差横抱き　29
抗酸化作用　25, 54, 97
甲状腺腫　52
光線療法　55, 97
喉頭軟化症　52
後乳　25
広汎性発達障害　165
抗ヒスタミン薬　39
抗不安薬　39
肛門周囲膿瘍　88

絞扼耳　91
股関節開排　57
　——制限　120
股関節脱臼　57
　先天性——　120
呼吸音　52, 115
固視　114
子育て四訓　12
骨重合　52
骨密度　40
骨量　40
言葉の発達　120, 150, 165, 167, 170
コミュニケーション障害　165
コレステロール　35, 62
混合栄養　19, 37, 112

● さ
サーモンパッチ　56, 85
座位　136
再診　58
最大体重減少　51
臍帯脱落遅延　88
サイトメガロウイルス感染症　45, 57
臍肉芽腫　53, 88
　——の処置　89
臍ヘルニア　116
　——の治療　116
サイン
　吸着が不適切な——　98
　（児の）空腹の——　27, 52, 53
　十分に母乳を飲んでいる——　58
　（児の）食べたがっている——　137
　（母乳を）欲しがる——　74
逆さまつげ　90

搾乳　38, 50, 51, 98, 148
坐骨結節　120
鎖骨骨折　57
産後うつ病　76

● し
視覚　98
事故　150
　——の危険度セルフチェックシート　151
仕事（職場）復帰　135, 170
指示の理解　165
視床下部・下垂体・副腎皮質系　59, 61
姿勢　115
視線が合わない　119
湿疹　40, 42, 43, 86, 115
自動聴性脳幹反応　56
シナプス　35
自閉スペクトラム症　118, 167
社会性　165
斜頸　90
　筋性——　52, 90
斜視　56, 96, 120, 170
シャフリングベビー　146
重症黄疸　53
修正月齢　60, 62
獣皮性母斑　88
十分に母乳を飲んでいるサイン　58
出生体重への復帰　81
授乳　26
　——回数　98, 99, 131, 136
　——環境　122
　——中の服薬　38
　——の終え方　27
　——のタイミング　97
　——のために児を起こす方法　27

──パターン　159
腫瘍
　　頸部──　52
　　腹部──　85, 159
小陰茎　53
紹介状　20
小眼球　136
硝酸銀　89
小頭症　83
上皮真珠　90
上皮成長因子　97
初乳　24
視力　96, 98, 120, 170
耳瘻孔　91
新型コロナウイルス感染症　50
新型コロナワクチン　101
神経学的な評価　56, 83, 114, 132, 145, 156, 164
神経発達　62
神経皮膚症候群　170
人工乳
　　──の減らし方　37
　　──のリスク　36
診察
　　外陰部の──　53, 116, 159
　　眼瞼結膜の──　157
　　胸部の──　52
　　頸部の──　52, 158
　　脊柱の──　167
　　退院──　51
　　頭部の──　52
　　皮膚の──　56, 170
　　腹部の──　159
　　骨・関節の──　57
　　腹部の──　159
心雑音　20, 52, 84
新生児ざ瘡　87
新生児聴覚スクリーニング　57

身長　18, 83, 114, 131, 145, 156, 164
　　──測定の方法　83
伸展陰茎長　53

●す
垂直懸垂　84
水痘　135
　　──ワクチン　95
水頭症　83
　　二次性──　164
水平位　84
睡眠-覚醒のリズム　45
ステロイド外用薬（軟膏）　53, 86, 93, 116
（児の）ストレス　59, 62
（母親の）ストレス　61, 74
ストレス応答　166
スフィンゴミエリン　35
座らせ方　152

●せ
生活リズム　163
精査加療　20
成人T細胞白血病　47
精神発達障害　165
精神発達の遅れ　119, 164
精巣腫瘍　116
正中頸嚢胞　52
成長の評価　80, 114, 131, 145, 156, 163
生理的体重減少　80
脊柱の診察　167
咳止め　39
舌小帯短縮　92
尖足　84
喘息　40, 49
先天性外転神経麻痺　96
先天性股関節脱臼　120

先天性サイトメガロウイルス感染症　45, 57
先天性心疾患　63
先天性胆道閉鎖症　85
先天性鼻涙管閉塞　90
前乳　25

●そ
早産児　34, 62
　　後期──　60, 63, 71
　　──の行動様式　62
総ビリルビン値　55
側彎症　67
鼠径ヘルニア　93
粗大運動　83, 132, 136, 145, 156
卒乳　137
側頸嚢胞　52

●た
退院診察　51
体重　13, 51, 80, 114, 131, 136, 145, 156, 163
　　最低──　14, 81
体重減少　159
　　最大──　51
　　生理的──　80
体重増加　13, 32, 37, 44, 80, 98, 131, 136, 156
　　母乳栄養児の──　81
　　──の標準的パターン　114
体重増加不良　109, 131
　　──の指標　15
大泉門の拡大　52, 83
大腸リンパ濾胞増殖症　123
大転子　120
大脳白質容量　34
ダウン症候群　63
多価不飽和脂肪酸　26, 34, 43

（授乳時の）抱き方　28, 98
（上口唇の）タコ　102
たそがれ泣き　99
立ち直り反射　117
　　視性——　133
脱脂母斑　170
立て抱き　29
（児の）食べたがっているサイン　137
食べる機能　160
短期母乳栄養　47
単純性血管腫　85
胆道閉鎖症　96
　　先天性——　85

● ち
乳首を噛む　149
チャイルドシート　73
中耳炎　24, 41, 123,
聴覚　150
　　——障害　165
腸内細菌叢　12, 43
聴力　96, 120. 146, 157
鎮咳薬　39

● つ
追視　114, 158
つかまり立ち　145
つたい歩き　156
積み木　164
長鎖多価不飽和脂肪酸　34

● て
低栄養　18
定頸　115
低身長　131
停留精巣　159
手づかみ食べ　141, 152
鉄欠乏　148

鉄分　141, 148
点頭てんかん　119

● と
トイレットトレーニング　171
頭囲　18, 20, 33, 52, 83, 114, 145, 156, 164
　　——測定の方法　83
頭蓋骨早期癒合症　83
頭蓋内圧亢進　83
頭血腫　52
凍結母乳栄養　47
頭部の診察　52
吐血　124
独歩　156, 164, 170
ドナーミルク　50

● な
ナーシングストライキ　137, 147, 148
内側顆間距離　159
なぐり書き　165
喃語　146, 150

● に
二次性水頭症　164
日光浴　100
乳歯　163
乳児寄生菌性紅斑　85, 88
乳児痔瘻　88
乳児脂漏性湿疹　86
乳腺炎　30
乳頭亀裂　124
乳頭混乱　29, 142
乳頭痛　93, 98
乳頭保護器　46
（児の）乳房腫大　88
乳幼児自閉症チェックリスト修正版　166, 168

乳幼児突然死症候群　44
入浴　100
尿の回数　53
認知機能　167
認知能力　32, 59
　　——の発達　32, 146

● ね
寝返り　125, 131

● の
脳血液関門　97
脳重量　34, 62
脳性麻痺　164

● は
把握運動　146
把握反射　56
肺炎球菌ワクチン　134, 147, 159
はいはい　145, 146
吐く　52, 82
白色瞳孔　136
白斑　170
　　伊藤——　170
発育曲線　14
　　母乳栄養児の——　14, 15
発育不全　131
発達　136
　　——の退行　164
　　——のメルクマール　11, 21
鼻吸い器　60
鼻づまり　60
歯の手入れ　149
パラシュート反応　156
パリビズマブ　63
反射　156
　　原始——　28, 84
　　立ち直り——　117

把握―― 56
引き起こし―― 56, 84,
　　115, 136
モロー―― 56, 57, 84, 96

● ひ
引き起こし反射　56, 84, 115,
　136
微細運動　133, 137, 145, 156,
　164
ビタミン
　脂溶性―― 26
　――A　24, 139
　――C　148
　――D　100
　――E　24
　――K　72
　――K₂シロップ　95
人見知り　133, 145, 147, 154,
　156
ヒトミルクオリゴ糖　35
ひとり歩き　156, 164, 170
ひとり立ち　156
皮膚の診察　56, 170
皮膚炎
　アトピー性―― 40, 43, 170
　おむつ―― 85, 84
　肛囲―― 88
ヒブワクチン　134, 147, 159
肥満　49
百日咳　95
稗粒腫　86
ビリルビン　54, 55
鼻涙管狭窄・閉鎖　57, 90
ビルメーター　97
貧血　82, 147, 148, 157

● ふ
フォローアップミルク　147,
　148
不機嫌　119
副耳　91
腹部腫瘤　85, 159
腹部の診察　159
（授乳時の）含ませ方　28, 30,
　98
　不適切な―― 31
分離不安　136

● へ
臍の観察　53
ベッカー母斑　88
ベビーバス　100
便
　――が硬い　147
　――の回数　53
偏食　157
便色カード　96
便秘　123
扁平母斑　88

● ほ
包茎　116
ポートワイン母斑　96
補完食　131, 134, 136, 137,
　141, 147
　適切な―― 139
　――開始時の心得　138
歩行器　149
（母乳を）欲しがるサイン　74
母子感染　45, 46, 47
母子相互作用　74
（自転車の）補助いす　158
（人工乳の）補足　72, 99, 110
ホッピング反応　156
母乳

冷凍―― 44, 135
――摂取量　38
――と人工乳の違い　23
――の成分　24
――のメリット　23
――バンク　50
――を十分に飲んでいるサイン　58
母乳育児　33, 36
――支援　72
――性黄疸　55
――とアレルギー　40
――の経済効果　44
――の継続　58
――のモチベーション　24
――の利点　41
――率　36, 70
――を困難にすること　58
母乳栄養児
――に特有の行動　148
――の体重増加　19
――の追跡調査　40
――の発育曲線　14, 15
母乳産生　74
――の維持　148
――量を増やす方法　38
哺乳ストライキ　137
母乳分泌　22
――の特性　26
骨・関節の診察　57
母斑
　ウンナ―― 56, 85
　太田―― 96
　獣皮性―― 88
　脱脂―― 170
　ベッカー―― 88
　扁平―― 88
　ポートワイン―― 96
　有毛性―― 88

ポリアミン　42

● ま

埋没陰茎　117
埋没耳　91
巻き爪　89
麻疹　143
麻疹・風疹混合ワクチン　95, 159
麻痺　136
慢性肺疾患　63

● み

味覚　121, 143
ミルクアレルギー　24

● む

向きぐせ　90
虫歯　160

● め

免疫不全　63

● も

蒙古斑　85
　異所性──　56
毛巣洞　115
網膜芽細胞腫　136
モロー反射　56, 57, 84, 96

● ゆ

有意語　157, 165, 166
有毛性母斑　88
幽門狭窄症　52
揺さぶられっこ症候群　72, 73
湯冷まし　123
指差し　167

● よ

抑うつ　76
横抱き　29
夜ふかし　163
予防接種　92, 93, 133, 135, 147, 159
　──スケジュール　94
　──の同時接種　135
　──の副反応　92
四種混合ワクチン　133, 147

● り

リガ・フェーデ病　90
離乳食　131, 137
離乳の進め方　140
流行性耳下腺炎　135

● れ

冷凍母乳　44, 135
レジリエンス　12
レプチン　35

● ろ

漏斗胸　167
ロタウイルス　135
　──ワクチン　94

● わ

脇抱き　29
ワクチン　135
　インフルエンザ──　95
　おたふくかぜ──　95
　水痘──　95
　肺炎球菌──　134, 147, 159
　ヒブ──　134, 147, 159
　麻疹・風疹混合──　95, 159
　四種混合──　133, 147
　ロタウイルス──　94
　B型肝炎──　94, 134, 159
　──デビュー　134
笑いが少ない　119

● 数字

1カ月健診　80
1歳6カ月健診　163
2カ月健診　109
　──で確認すること　111
2週間健診　70
4カ月健診　117
6〜7カ月健診　131
9〜10カ月健診　145

● 欧文

Abusive Head Trauma　73
ATL → 成人T細胞白血病
baby led breastfeeding　28
BCG　133, 147
bottom lifting　136
bubbling　146
B型肝炎　45
　──ワクチン　94, 134, 159
B型肝炎ウイルス　45, 135
　──キャリアの母乳育児支援　46
cloth on the face test　132, 136
Cooing　115
C型肝炎　46
　──キャリアの検査項目　47
Cペプチド　49
DHA　34
Duane症候群　96
EGF → 上皮成長因子
EPDS → エジンバラ産後うつ病自己評価票

failure to thrive　131
feedback inhibitory of lactation；FIL　26
Foxp3　49
HBV → B型肝炎ウイルス
HCV-RNA　46
HPA系 → 視床下部・下垂体・副腎皮質系
HTLV-1　47
　──キャリアの母乳育児支援　47
　──スクリーニング　48
　──母子感染予防対策マニュアル　47
IGF-1　35
IQ　34
Klisic test　121
LCPUFA → 長鎖多価不飽和脂肪酸
low guard　164
M-CHAT → 乳幼児自閉症チェックリスト修正版
microbiota-gut-brain axis　12
MRワクチン → 麻疹・風疹混合ワクチン
mTORC1シグナル　49
n-3系PUFA　43
non-nutritive sucking　27
pincer grasp　146, 156, 157
pivot turn　132, 137
radial palmar grasp　133
RSウイルス　63
sCD14　42
SIDS → 乳幼児突然死症候群
small for gestational age　62, 71
Sturge-Weber症候群　96
TGF-β　42
von Recklinghausen病　170

コラム一覧

● プラスワン

- レジリエンスを育てる子育て　12
- 母乳で育つ赤ちゃんの体重増加はとても幅がある　19
- 母乳育児は biological norm　23
- 母親への情報提供のためのエビデンス集①　身体発育と認知能力、そして母乳育児が与える影響　32
- 母親への情報提供のためのエビデンス集②　母乳が IQ を良くする理由　34
- 母乳栄養児の追跡調査の結果　40
- 母乳育児と経済効果　44
- HTLV-1キャリア女性から出生した児への母子感染予防　47
- なぜヒトはゆっくり成長する？　48
- 新型コロナウイルス感染症と母乳　50
- 液体ミルク　50
- 母乳性黄疸のメカニズム　56
- 赤ちゃんのストレスとその後の発育・発達　59
- 授乳中の母親はストレスに強い？　61
- 母子相互作用と愛着形成　74
- エジンバラ産後うつ自己評価票（EPDS）を活用しよう！　76
- 百日咳に注意！　95
- 1カ月健診で黄疸を認める母乳育ちの赤ちゃん　97
- 赤ちゃんの不思議①　視覚　98
- 乳幼児用新型コロナワクチン　101
- 空白期間のサポートがないと人工乳のみの赤ちゃんが増える　112
- 赤ちゃんの不思議②　味覚（その1）　赤ちゃんは甘いもの好き！　実はニンニク味も好き！？　121
- 健診で赤ちゃんに大泣きされてもあわてない　130
- 補完食の軟らかさは赤ちゃんの発達に合わせて　138
- 赤ちゃんの不思議③　味覚（その2）　母乳の飲み具合で赤ちゃんの好き嫌いもわかる　143
- 麻疹発症予防のワクチン接種　143
- はいはいと認知発達　146
- 赤ちゃんの不思議④　聴覚　口の動きも見ながら言葉を獲得している　150
- 食物アレルギーが怖くて食べさせられない場合は？　153
- 出生直後の母子の触れ合いはストレス応答と関係する　166

● 今すぐ使える会話例

- 体重増加が少なめのとき　13
- 母乳育児のモチベーション　24
- 母乳育ちは甘えん坊？　36

- 授乳中の服薬が心配　38
- 仕事復帰で母乳続行を悩む　43
- 上の子と体重増加が違う　44
- いつ乳があるとき　51
- 母乳を噴水のように吐くとき　52
- 抱っこしてジャンプした　72
- 母親に自信を持たせる　115
- 父親が一緒に健診会場に来ているとき　118
- 父親が哺乳びんでミルクを与えたがる　122
- pincer grasp の確認　157

● OK ワード　NG ワード

- 1カ月健診で心雑音を聴取したとき　20
- 生後2カ月の児が1日に10回、母乳を飲んでいるとき　37
- 人工乳を足そうかどうか迷っているとき　110
- お母さんを否定する言葉を使わない　134
- 「なぜ？」「どうして？」とつきつめない　147
- 乳児の病気、母親を責めないで　158
- 言葉の発達がゆっくりな子どもを診察するとき　167

● FAQ

- アレルギーが心配です。授乳中に卵・牛乳を控えたほうがアレルギーになりにくいと聞いたのですが、本当ですか？　42
- 先天性サイトメガロウイルス（CMV）感染症の赤ちゃんの母乳育児は？　45
- 乳頭が痛く、傷があります。乳頭保護器を使ってもいいですか？　46
- 同じ食べ物を食べても、母乳の味は人によって違うのですか？　46
- 生後4日目で「赤ちゃんが黄色いので血液検査をします」と言われました。赤ちゃんが黄色いというのはどういうことでしょうか？　母乳が良くないのでしょうか？　54
- 揺さぶられっこ症候群にしないように気を付けることはありますか？　73
- 舌小帯短縮で処置が必要なのはどのような場合でしょうか？　92
- 予防接種は本当に必要なのでしょうか？　副反応も心配です。　92
- 夕方になるとよく泣きます。粉ミルクを足したほうがいいのでしょうか？　99
- 生後1カ月の男の子です。昼夜関係なく寝たり起きたりします。夜まとめて寝てくれないので疲れてしまいます。　100
- 外気浴と日光浴とはどう違うのですか？　100
- いつから大人と一緒にお風呂に入ってもよいですか？　温泉に行くのですが、一緒に入れてもいいですか？　100
- 紙おむつと布おむつのどちらがよいですか？　101

- 「首がすわっている」とはどんな状態をいうのですか？　118
- お風呂上りに麦茶やお白湯を飲ませたほうがよいでしょうか？　赤ちゃん用の麦茶というのも売っていますが……。　122
- 赤ちゃんが夜を通して寝るのはいつ？　126
- インフルエンザ桿菌、肺炎球菌、結核、はしか（MR：麻疹・風疹混合）、四種混合（百日咳、破傷風、ジフテリア、ポリオ）は、赤ちゃんがかかると命にかかわったり、後遺症を残したりする心配があるので、必ず予防接種を受けるように言われました。それ以外のワクチンは、うたなくても大丈夫でしょうか？　135
- 同時接種は本当に大丈夫なのでしょうか？　135
- 手づかみで食べさせていると、スプーンやフォークが使えなくなりますか？　141
- 上の子は卵アレルギーがあります。下の子の離乳食はどう進めたらいいですか？　141
- 離乳食をあまり食べませんが、栄養的に問題はありませんか？　141
- 新しい食品を食べさせようとすると嫌がります。どうしたら食べてくれますか？　141
- おっぱいばかり飲んでいて食事を嫌がりますが、どうしたらいいですか？　142
- 便が硬くて困っています。　147
- フォローアップミルクを飲ませたほうがよいのでしょうか？　148
- 歯の手入れは、いつ頃からどのように始めればいいですか？　149
- 実母に「早く歩けるようになるから」と歩行器の使用を勧められました。使用したほうがいいですか？　149
- 子どもが食事にあまり興味を示しません……。　152
- 自転車の補助いすにはどのくらいから座らせて大丈夫ですか？　158
- 10カ月から歩き始めました。そのときはうれしかったのですが、足に負担がかかって将来、足の弱い子になったり、がに股になったりしませんか？　158
- 1歳を過ぎても飲み込みにくい食べ物にはどんなものがありますか？　161
- 1歳でもおっぱいのみで、まったく食べません。　161
- 下の子が生まれておにいちゃんになってから、赤ちゃん返りに手を焼いています。　172

● Don't worry mom !　お母さんの心配事

- 初乳をあまり飲ませられなかった　25
- 赤ちゃんが飲んでもおっぱいが張っています　27
- 乳腺炎になってしまった　30
- 修正月齢はいつまで使うの？　60
- おっぱいをよく吐きます　82
- 自閉症ではないか心配です　119
- 寝返りをしないのは太っているから？　131
- あまり食べてくれません　137

- 補完食の軟らかさは？ 139
- まだはいはいをしません 146
- 母乳育ちは鉄分不足？ 148
- 食べ物で遊んでしまいます 159
- 夜ふかししがちの生活です 163
- 上の子と一緒にテレビを見てしまいます 166

● **健診のコツ**

- 1カ月健診のコツ 赤ちゃんが大泣きしたら口腔内の観察を 102
- 3〜4カ月健診のコツ 寝返り期の安全な診察 125
- 9〜10カ月健診のコツ 人見知りの赤ちゃんらくらく健診術 154
- 1歳6カ月健診のコツ 診察室に入ってくる母子の観察を 173

著者略歴

水野克己（みずの・かつみ）

昭和医科大学医学部小児科学講座 主任教授

1987年3月	昭和大学医学部卒業
1993年4月	Harbor-UCLA Medical Center, research fellow
1994年5月	University of Miami, Jackson Memorial Hospital, research fellow
1995年11月	葛飾赤十字産院小児科 副部長
1999年4月	千葉県こども病院新生児科 医長
2005年4月	昭和大学医学部小児科 准教授
2014年3月	昭和大学江東豊洲病院小児内科 教授
2018年4月	昭和大学医学部小児科学講座 主任教授に就任

所属学会など

日本小児科学会 理事
日本新生児成育医学会 理事
日本周産期・新生児医学会 評議員、新生児指導医・専門医
日本母乳哺育学会 理事長
日本母乳バンク協会 代表理事
Society of Pediatric Research, active member
International Society of Research on Human Milk and Lactation, executive committee

著書

『摂食・嚥下リハビリテーション』（共著、医歯薬出版、2005年）
『よくわかる母乳育児』（共著、へるす出版、2007年）
『助産師のためのフィジカルイグザミネーション』（共著、医学書院、2008年）
『母乳 育児 感染－赤ちゃんとお母さんのために』（南山堂、2008年）
『母乳と薬剤』（監訳、Hale Publishing、2009年）
『母乳とくすり あなたの疑問解決します』（南山堂、2009年）
『Q&Aでまなぶ新生児必須知識』（共著、メディカ出版、2009年）
『これでナットク母乳育児』（監修、へるす出版、2009年）
『NICU看護の知識と実際』（共著、メディカ出版、2010年）
『母乳育児学』（南山堂、2012年）
『母乳育児支援 理解度チェック問題集』（へるす出版、2013年）
『笑顔で子育てあんしん赤ちゃんナビ』（メディカ出版、2013年）
『エビデンスにもとづく早産児母乳育児マニュアル』（編著、メディカ出版、2015年）
『子どものアレルギー×母乳育児×スキンケア』（編著、南山堂、2016年）
『マンガでわかる 母乳育児支援ケーススタディ』（南山堂、2017年）
『母乳育児支援講座 改訂2版』（共著、南山堂、2017年）
『お母さんと赤ちゃんの食事－あんしんナットク楽しく食べる』（共著、へるす出版、2018年）
『早産児、低出生体重児の成長と発達のみかた－出生からAYA世代まで』（編集、東京医学社、2019年）

新版 お母さんがもっと元気になる乳児健診
－健診を楽しくすすめるエビデンス＆テクニック

2010年9月15日発行	第1版第1刷
2014年3月10日発行	第1版第5刷
2015年5月1日発行	第2版第1刷
2019年5月30日発行	第2版第5刷
2021年1月1日発行	第3版第1刷
2025年5月10日発行	第3版第5刷

著　者　水野　克己
発行者　長谷川　翔
発行所　株式会社メディカ出版
　　　　〒532-8588
　　　　大阪市淀川区宮原3-4-30
　　　　ニッセイ新大阪ビル13F
　　　　https://www.medica.co.jp/
編集担当　木村有希子
装　　幀　森本良成
イラスト　川添むつみ
組　　版　株式会社明昌堂
印刷・製本　株式会社シナノ パブリッシング プレス

© Katsumi MIZUNO, 2021

本書の複製権・翻訳権・翻案権・上映権・譲渡権・公衆送信権（送信可能化権を含む）は、（株）メディカ出版が保有します。

ISBN978-4-8404-7508-2　　　　　　　　　　　　　　Printed and bound in Japan

当社出版物に関する各種お問い合わせ先（受付時間：平日9：00～17：00）
●編集内容については、編集局 06-6398-5048
●ご注文・不良品（乱丁・落丁）については、お客様センター 0120-276-115